# HISTÓRIA DO MUNDO SEM AS PARTES CHATAS

DAVE REAR

# HISTÓRIA DO MUNDO SEM AS PARTES CHATAS

**Os acontecimentos mais importantes desde o Big Bang até os nossos dias, contados de uma forma leve, irônica e divertida**

*Tradução*

CLAUDIA GERPE DUARTE
EDUARDO GERPE DUARTE

Editora Cultrix
SÃO PAULO

Título original: *A Less Boring History of the World – From the Big Bang to Today.*



Texto de acordo com as novas regras ortográficas da língua portuguesa.

1ª edição 2013.
8ª reimpressão 2018.



**Editor:** Adilson Silva Ramachandra
**Editora de texto:** Denise de C. Rocha Delela
**Coordenação editorial:** Roseli de S. Ferraz
**Preparação de originais:** Marta Almeida de Sá
**Revisão técnica:** Adilson Silva Ramachandra
**Produção editorial:** Indiara Faria Kayo
**Assistente de produção editorial:** Estela A. Minas
**Editoração eletrônica:** Join Bureau
**Revisão:** Nilza Agua e Vivian Miwa Matsushita

CIP-Brasil Catalogação na Publicação
Sindicato Nacional dos Editores de Livros, RJ

R226h
Rear, Dave
História do mundo sem as partes chatas: os acontecimentos mais importantes desde o Big Bang até os nossos dias, contados de uma forma leve, irônica e divertida / Dave Rear; tradução Claudia Gerpe Duarte, Eduardo Gerpe Duarte. – 1. ed. – São Paulo: Cultrix, 2013.
264 p.: il.; 23 cm.

Tradução de: A Less Boring History of the World: From the Big Bang to Today.
ISBN 978-85-316-1245-9

1. História universal – Humor. 2. Cômico – História. I. Título.

13-04765 CDD-900
CDU: 94

Direitos de tradução para o Brasil adquiridos com exclusividade pela
EDITORA PENSAMENTO-CULTRIX LTDA., que se reserva a
propriedade literária desta tradução.
Rua Dr. Mário Vicente, 368 – 04270-000 – São Paulo, SP
Fone: (11) 2066-9000 – Fax: (11) 2066-9008
http://www.editoracultrix.com.br
E-mail: atendimento@editoracultrix.com.br
Foi feito o depósito legal.

Para minha mulher, Sawa

# SUMÁRIO

**1. No Início...**
**(de 15 BILHÕES a 4500 a.C.) ........ 15**

Parte I: Os Primeiros 14,99 Bilhões de Anos ........ 17
Um breve diário do Big Bang: de 15 bilhões a
4,5 bilhões a.C. ........ 17
A vida na Terra: 3,5 bilhões a.C. ........ 21
A era dos dinossauros: 245 milhões a.C. ........ 23
A era dos mamíferos: 65 milhões a.C. ........ 27

Parte II: A Evolução dos Primatas e o Aparecimento
dos Primeiros Hominídeos ........ 31
Fora das árvores: 3 milhões a.C. ........ 31
Homem de Neandertal: 300.000 a.C. ........ 33
*Homo sapiens* (Cro-Magnon): 30.000 a.C. ........ 35
A era neolítica: 8.000 a.C. ........ 36

**2. As Primeiras Civilizações (Até que Enfim!)**
**(4000-300 a.C.) ........ 39**

Parte I: Como o Mundo Ficou Civilizado:
4000-1200 a.C. ........ 41
A primeira civilização ........ 41
Olho por olho, dente por dente e outros costumes
engraçados e bizarros do período ........ 44

Parte II: Os Egípcios: 3000-1090 a.C. ........ 47
A ascensão do Egito ........ 47
O declínio do Egito ........ 49

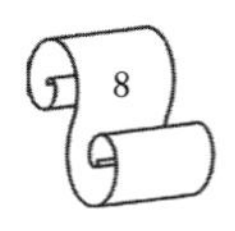


Parte III: A Era das Pequenas Nações: 1200-800 a.C. ........ 51
Os fenícios ........ 51
Os hebreus ........ 52

Parte IV: A Era dos Impérios: 800-300 a.C. ........ 57
Os amistosos e amáveis assírios ........ 57
Os persas ........ 59

Parte V: Enquanto isso, no resto do mundo...
2500-256 a.C. ........ 61
Índia antiga ........ 61
China antiga ........ 65
O fim das primeiras civilizações ........ 66

**3. Civilizações Clássicas**
**(300 a.C. - 620 d.C.) ........ 67**

Parte I: Os Gregos: 3000–30 a.C. ........ 69
A Guerra de Troia e outras fantasias gregas ........ 69
A ascensão dos gregos ........ 70
Alexandre, o Grande ........ 75

Parte II: Ascensão e Queda do Império Romano:
753 a.C. - 476 d.C. ........ 77
A fundação de Roma ........ 77
As Guerras Púnicas ........ 78
A morte da República ........ 79
Os primeiros imperadores ........ 81
Declínio e queda do Império Romano ........ 84
Ascensão e ascensão do cristianismo ........ 85

Parte III: China Clássica e Índia Irresistível:
256 a.C. - 618 d.C. ........ 87

Os chineses clássicos ... 87
A ascensão dos eunucos ... 89
A Idade de Ouro da Índia ... 90

**4. A Idade Média Fora da Europa (500-1600 d.C.) ... 93**

Parte I: O Império Bizantino e a Ascensão da Rússia: 450–1600 d.C. ... 95
A ascensão dos bizantinos ... 95
A queda dos bizantinos ... 97
A ascensão dos Ivans ... 98

Parte II: Impérios Muçulmanos: 600-1500 d.C. ... 101
A ascensão do Islã ... 101
O Império Otomano ... 102

Parte III: O Extremo Oriente: 600-1600 d.C. ... 105
O Império Mogol na Índia ... 105
Os tangs, os songs, os mongs e os mings ... 106
Japão ... 108

Parte IV: A África e as Américas: 300-1600 d.C. ... 111
A história da África ... 111
As origens da América do Norte ... 112
As civilizações das Américas ... 114

**5. A Idade Média na Europa (500-1500 d.C.) ... 119**

Parte I: A Idade das Trevas: 500-1000 d.C. ... 121
O sacro Império Romano ... 121
Os vikings e os húngaros ... 124

Os anglo-saxões ........ 126
Diversão com o feudalismo ........ 128

Parte II: A Idade das Trevas um Pouco Menos Sombria: 1000-1500 d.C. ........ 131
A Peste Negra ........ 131
As Cruzadas ........ 133
A Inglaterra e sua história real, os reis etc. ........ 136
A Igreja ........ 141

**6. A Europa e a Renascença (1500-1763 d.C.) ........ 145**

Parte I: A Renascença e a Reforma: 1350-1600 d.C. ........ 147
A Renascença ........ 147
A Reforma ........ 148

Parte II: Os Países se Revezam na Posição Dominante: 1500-1750 d.C. ........ 155
A Idade de Ouro da Espanha ........ 155
A Idade de Ouro da França ........ 157
A Idade de Ouro das verrugas de Oliver Cromwell ........ 158

Parte III: A Europa Descobre o Mundo: 1492-1763 d.C. ........ 165
A era das explorações ........ 165
A caça aos impérios ........ 167
A Grã-Bretanha assume a posição dominante ........ 169

**7. Revolução, Baby (1700-1815 d.C.) ........ 173**

Parte I: A Idade da Razão: 1700-1800 d.C. ........ 175
A Revolução Científica ........ 175
O Iluminismo ........ 177

Déspotas iluministas: prussianos e austríacos ................ 178
Déspotas iluministas: russos ................ 179

Parte II: A Era das Revoluções: 1763-1815 d.C. ................ 183
A Revolução Americana ................ 183
A Revolução Francesa ................ 185
A era napoleônica ................ 190

Parte III: A Revolução Industrial: 1750-1820 d.C. ................ 193
Novas invenções ................ 193
Sombrio, satânico Yorkshire ................ 194

**8. O Mundo Fica Obcecado pelos Ismos (1815-1914 d.C.) ................ 197**

Parte I: O Liberalismo na Grã-Bretanha, na França nos Estados Unidos: 1815-1914 d.C. ................ 199
O equilíbrio do poder depois de Napoleão ................ 199
O liberalismo na Grã-Bretanha ................ 200
O republicanismo na França ................ 201
O expansionismo nos Estados Unidos ................ 203

Parte II: O Nacionalismo na Itália, na Alemanha e na Rússia: 1815-1914 d.C. ................ 205
A unificação alemã ................ 205
A Guerra da Crimeia ................ 207
A independência na América Latina ................ 208

Parte III: A Era do Imperialismo: 1815-1914 d.C. ................ 211
A luta pela África ................ 211
A joia na passagem da Índia ................ 212
Distribuindo a porcelana ................ 213
Os Estados Unidos também conseguem um império ................ 214

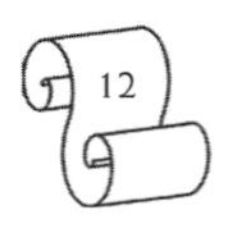


**9. O Mundo Tenta Explodir a Si Mesmo (1914-1945 d.C.)** .......... **217**

Parte I: A Primeira Guerra Mundial: 1914-1918 d.C. .......... 219
As causas da guerra .......... 219
O rumo da guerra .......... 220
O Tratado de Versalhes .......... 222

Parte II: A Ascensão dos Ditadores: 1917-1939 d.C. .......... 225
A Revolução Russa .......... 225
A ascensão de Mussolini .......... 226
A ascensão do Japão .......... 228
A ascensão de "Adolfinho" .......... 229

Parte III: A Segunda Guerra Mundial: 1939-1945 d.C. .......... 233
O caminho para a guerra .......... 233
A guerra .......... 235
As Nações Unidas .......... 237

**10. O Fim do Mundo (1945 d.C. – Até os dias atuais)** .......... **239**

Parte I: Rocky Balboa *versus* Ivan Drago: 1945-2000 d.C. 241
A Guerra Fria .......... 241
A Guerra da Coreia .......... 243
A Guerra do Vietnã .......... 244
A queda da União Soviética .......... 244

Parte II: Independência e Revolução: 1945-2000 d.C. .......... 247
A independência da Índia .......... 247
Problemas na África .......... 248
Conflitos na América Latina .......... 249
A revolução na China .......... 251

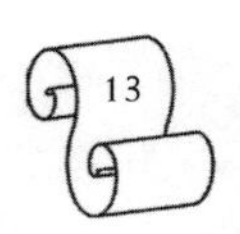


Parte III: O Mundo Atual ........................................ 253
Israel e o Oriente Médio ........................................ 253
A primeira Guerra do Golfo ........................................ 255
O terror palestino ........................................ 256
A al-Qaeda e o Talibã ........................................ 257
Eixo do Mal ........................................ 258
A Guerra do Iraque ........................................ 261
Armagedom financeiro ........................................ 262
E agora? ........................................ 263

# 1

# NO INÍCIO...

## (de 15 bilhões a 4500 a.C.)

# PARTE 1

# OS PRIMEIROS 14,99 BILHÕES DE ANOS

## UM BREVE DIÁRIO DO BIG BANG: DE 15 BILHÕES A 4,5 BILHÕES A.C.

### 15.000.000.000 a.C.

**doses de álcool: 0 (muito bom!); cigarros: 0 (muito bom mesmo!); cintura: infinitamente fina!; orgasmos: 1 (e dos grandes, com toda a certeza!)**

Ufa! Finalmente consegui sair! Caramba! É muito bom botar tudo pra fora depois de ficar condensado em um ponto único de densidade infinita por tanto tempo. Acho que eu talvez tenha exagerado um pouco nos primeiros segundos, mas dificilmente você poderá me culpar por ter me entusiasmado além da conta. Não tenho a menor ideia de como as futuras gerações irão chamar essa incomparável ocasião, mas espero que inventem alguma coisa original. Pessoalmente, eu gosto de chamar de O Grande Clímax.

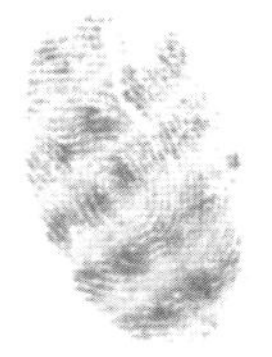

"DOSES DE ÁLCOOL: 2; CIGARROS: 12; CINTURA: EXPANDINDO-SE (CERTAMENTE APENAS UMA PEQUENA ALTERAÇÃO TEMPORÁRIA); GALÁXIAS: 1"

## 13.000.000.000 a.C.

**doses de álcool: 2; cigarros: 12; cintura: expandindo-se (certamente apenas uma pequena alteração temporária); galáxias: 1**

Fiquei um pouco chocado hoje. Não sou – como se supunha – uniformemente denso. Talvez meu entusiasmo inicial tenha feito com que grandes nuvens de gás quente se acumulassem em certas partes da minha anatomia. Isso é tããão embaraçoso! Terei de usar as minhas calças largas na igreja amanhã. Essas nuvens de gás começaram agora, muito descaradamente se quer saber, a se comprimir pela força da gravidade. Algumas delas até mesmo formaram estrelas. O pior é que as estrelas começaram a atrair umas às outras, e agora tenho uma galáxia inteira nas mãos. (Na verdade, não nas mãos, mas... deixa pra lá!) Estou torcendo desesperadamente para que seja apenas um incidente isolado.

## 10.000.000.000 a.C.

**doses de álcool: 20; cigarros: 48; cintura: ainda se expandindo (não vamos entrar em pânico, NÃO VAMOS ENTRAR EM PÂÂÂNICOOOO!); galáxias: $10^{25}$**

Que desastre! Estrelas atraindo umas às outras por toda parte, como se fosse uma grande festa de solteiros, pegação pra todo lado. Agora eu tenho galáxias em tudo quanto é lugar. É como acne na adolescência; de repente você acorda com a cara cheia de espinhas. É *realmente* horrível. Não tenho a menor ideia do que fazer a respeito. A gravidade tomou conta de tudo. Além disso, algumas dessas primeiras estrelas parecem estar ficando sem combustível. Maldição! O que será que vai acontecer agora? E se elas explodirem, como furúnculos? Eca! Vai ser explosão de matéria pra todo lado, de novo! Nem bem me manifestei e já estou me decompondo outra vez. Raios, raios e mais raios!

## 8.000.000.000 a.C.

**doses de álcool: 46; cigarros: 117; cintura: imensa (pensando bem, talvez seja a hora de entrar em pânico...); supernova: 1**

Santo Deus, uma supernova! Que dia mais horrível, tenebroso até!... Tudo o que eu temia acerca dessas estrelas se tornou realidade. Uma delas explodiu bem na minha cara. Estou literalmente vendo estrelas! É claro que fui ao médico, e ele me disse que tudo está dentro do previsto. Só agora ele me fala isso! Aparentemente, a energia que abastece essas estrelas vem de uma coisa chamada fusão nuclear e, quando não há mais átomos para se fundirem, elas implodem. Eu não me importaria, mas elas não aceitam isso com tanta tranquilidade. Cospem gás e todo tipo de matéria decomposta. É algo totalmente abominável. Não é de estranhar que eu não consiga arranjar uma namorada. O pior é que metade delas acaba como colossais buracos negros, o que pode parecer muito legal quando se fala, mas espere até você ter um no meio do umbigo. Nem mesmo calças largas conseguem disfarçar isso, pois elas sugariam suas calças e você inteirinho junto e o que mais estivesse ao seu redor.

## 4.500.000.000 a.C.

**doses de álcool: 467; cigarros: 2896; cintura: estilo Marlon Brando (!!!); Terra: 1**

Bem, o médico ficou muito animado hoje. Aparentemente, eu criei um novo sistema solar na periferia de uma galáxia que ele chama de Via Láctea, e acha que isso é muito especial. Ela não é uma daquelas que poderíamos chamar de "A galáxia", daquelas grandonas, sabe?, mas é bem legal. Eu disse a ele: "Doutor, não há nada de especial nisso; eu tenho quintilhões desses sistemas por toda parte". Ele replicou: "Eu sei, mas meu coração me diz que este vai ser um pouco diferente". Então eu disse: "Você não tem coração, doutor, você é etéreo". Mas, aparentemente, ele estava falando de modo figurado. Seja como for, depois disso, ele ficou repetindo: "Espere só pra ver! Espere só pra ver!". Velho misterioso... O que será que vai acontecer? Seja como for, não acredito que vá ser tão bom quanto aquele planeta perto de Alfa Centauro 12. Eles até já inventaram umas máquinas engraçadas. Uns caixotes de um tipo de matéria rústica chamada metal. São movidos à explosão e chamados de carros.

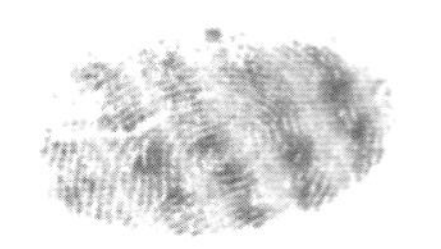

FIM DO DIÁRIO

## A vida na Terra: 3,5 bilhões a.C.

A Terra tem 4,54 bilhões de anos. E só levou cerca de um bilhão para desenvolver as primeiras formas de vida, o que não é nada mau, se considerarmos que as crianças levam quase o mesmo tempo para aprender a amarrar os sapatos. O sistema solar ao redor havia se fundido em grandes blocos de rocha que flutuavam sem direção através do vácuo. A própria Terra foi criada quando esses blocos colidiram uns com os outros em explosões violentas e desordenadas: um padrão de reprodução que a raça humana adotou a partir de então. Durante mais ou menos o primeiro bilhão de anos, ela ficou borbulhando como rocha derretida e enxofre, mas com o tempo esfriou e se tornou um oceano viscoso de água morna e aminoácidos. Essa assim chamada sopa primordial* continha os ingredientes básicos que originavam algumas formas da vida. Isso aconteceu durante a Era Pré-Cambriana, que durou de uns poucos bilhões até 540 milhões de anos a.C.

A primeira forma de vida nesse oceano primordial não foi nada de espantoso, digno de aparecer nas manchetes dos jornais sensacionalistas, mas sim minúsculas bactérias unicelulares conhecidas como procariontes. Essas se alimentavam das moléculas que flutuavam no mar primitivo e, por meio do seu metabolismo, produziam sulfeto de hidrogênio, um gás causticante com cheiro de ovo podre. Desnecessário dizer que tinham certa dificuldade para arranjar um parceiro e precisavam recorrer à divisão celular, ou mitose, para a reprodução. As conversas ao redor das cumbucas de sopa eram assim:

> "Deus do Céu, Jeff! Você acaba de metabolizar aqui de novo? Não consegue simplesmente se conter?"
> "Não comece, Peter. Mary está me perturbando o dia inteiro por causa disso. Ela diz que quer se dividir."
> "De novo? Quantos filhos essa mulher quer ter?"

---

* Ainda considerada uma iguaria no Japão, China e Sudeste Asiático.

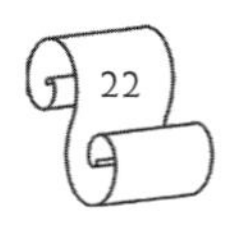


Como muitos rejeitados, Jeff e seus amigos procariontes se consolavam se empanturrando de sopa. No entanto, a vida amorosa deles era tão desesperadora que, com o tempo, a sopa começou a ficar escassa – o que gerou filas enormes no supermercado. Essa foi a primeira crise ecológica da Terra causada pelo consumo não consciente.

Como reação a essa crise, surgiu um novo tipo de célula – a alga azul-esverdeada –, capaz de absorver luz diretamente do Sol para produzir sua própria comida. (Garota esperta essa alga, hein? E ecologicamente correta!) Esse processo – a fotossíntese – gerava como subproduto o oxigênio, que trazia o benefício adicional de ser venenoso para procariontes fedorentos como Jeff. A lenta acumulação de oxigênio por fim começou a alterar a composição da atmosfera da Terra, até que se atingissem as proporções respiráveis de hoje. Também criou a camada de ozônio, que agia como um escudo para proteger a Terra dos poderosos raios ultravioleta do Sol, possibilitando, com o tempo, que as algas tomassem banho de sol de topless em luxuriantes praias tropicais. Chique, não?!

Com os procariontes morrendo ou sendo obrigados a se esconder em becos escuros, sobrou mais espaço no mundo para gente nova aparecer. Foi necessário que se passassem mais meio bilhão de anos para que isso acontecesse, mas com o tempo surgiram organismos unicelulares mais sofisticados, como as amebas, que podiam se gabar de ter os seus próprios núcleos e cromossomos. Isso possibilitou uma forma mais complexa de mitose, que abrangia os princípios biológicos básicos da reprodução sexual, um ponto de considerável orgulho para as amebas. Então, depois de aproximadamente outro bilhão de anos, em 650 milhões a.C., chegaram os primeiros organismos multicelulares, como os vermes e as águas-vivas. A partir daí, a coisa virou uma festa!

A Terra também tinha evoluído consideravelmente, passando a se parecer mais com o lugar que conhecemos hoje. Havia bem menos atividade vulcânica no único supercontinente da Pangeia, que com o tempo acabou se fragmentando e dando origem a dois gigantescos continentes chamados *Gondwana* e *Laurásia*.* Seguiu--se uma proliferação de vida vegetal, e grande parte da massa de terra foi coberta por florestas e pântanos. Também surgiram os animais; primeiro os aracnídeos e os insetos, e depois os répteis e os mamíferos.

Então, por volta de 250 milhões a.C., no período chamado de Permiano-Triássico, quase tudo morreu. Depois de tanto trabalho em todos esses bilhões de anos... Enfim, os cientistas não sabem exatamente o que causou a extinção em massa, mas, segundo a teoria mais recente, foi tudo culpa de um perigoso vulcão na Sibéria (possivelmente controlado secretamente pelos russos ou alguma raça alienígena desconhecida, o que dá no mesmo). Seja qual for a verdade, ao longo de um período de um milhão de anos, aproximadamente 95% de toda a vida marinha e 70% da vida terrestre pereceram. E olha que nós, seres humanos, nem estávamos lá para provocar um desastre ecológico dessas proporções!

Depois de 4 bilhões e meio de anos de incansável evolução, a Terra estava compreensivelmente desapontada com essa reviravolta e flertou por um breve período com a ideia de desistir completamente da vida e se dedicar à carreira de asteroide assassino de planetas. No entanto, por sorte, nosso velho planeta azul era feito de um material resistente e logo contra-atacou com a fórmula perfeita: dinossauros!

## A era dos dinossauros: 245 milhões a.C.

A Era dos Dinossauros foi sem dúvida a época mais legal da história da Terra, e isso inclui a Copa do Mundo de 1966, na Inglaterra. Na verdade, os dinossauros eram tão legais que, aos 36 anos de idade, eu ainda gostaria de ser um. Esses poderosos animais dominaram a Terra durante 165 milhões de anos, que é aproximada-

---

* Receberam esses nomes nos anos 1960, época das drogas psicodélicas. Coisa de cientistas com uma pegada hippie, no velho estilo sexo, drogas e rock 'n' roll.

mente 164,9 milhões de anos a mais do que os seres humanos conseguiram até agora, e eles só morreram quando foram acertados em cheio por um gigantesco meteorito, que caiu na Península de Yucatán, no México. Até a maneira como foram extintos foi legal.

A ERA DOS DINOSSAUROS: A ÉPOCA MAIS LEGAL NA HISTÓRIA DA TERRA.

Os paleontólogos descobriram milhares de fragmentos de fósseis espalhados pelo mundo, o que os levou a acreditar que deveria haver milhões dessas criaturas apavorantes vagando pela Terra.* Uma explicação sobre isso seria muito extensa, complicada e quase tão maçante quanto, digamos, a paleontologia em si. Vamos, portanto, seguir o exemplo dos mais conceituados especialistas em dinossauros e restringir o nosso relato ao seguinte:

## OS CINCO DINOSSAUROS MAIS LEGAIS DE TODOS OS TEMPOS (EM ORDEM DECRESCENTE PARA AUMENTAR A TENSÃO)

Em quinto lugar temos o triceratope. O triceratope é mais famoso por ser sempre (em qualquer livro sobre dinossauros que você

* Ou uma criatura bem grandalhona, talvez.

possa encontrar) retratado lutando com um tiranossauro rex. Geralmente, o rex está tentando arrancar, com a boca, a cabeça do triceratope, enquanto o bravo "ceratópsio" está golpeando loucamente a coxa do inimigo com um chifre. Ninguém sabe quem vencia essas lutas, mas, com base na força óssea e no armamento ofensivo, os paleontólogos chegaram à conclusão de que era quase certamente um dos dois. Além disso, não sabemos muita coisa a respeito dos triceratopes, a não ser que eles talvez fossem parecidos com os rinocerontes, que definitivamente estão entre os animais mais legais por aqui hoje em dia. (Dá para não se apaixonar pela Saura, a triceratope de *Em Busca do Vale Encantado*?)

Estrelando esplendorosamente em quarto lugar, temos o giganotossauro. (Não, não estamos falando de nenhum lutador marombado, não. Ainda estamos falando do superlagartões.) Como você provavelmente já imaginou a esta altura, ele era um lagarto ("saurus") gigantesco. Na realidade, ele é o maior dinossauro carnívoro descoberto até agora; um metro e vinte mais longo do que o tiranossauro rex e três toneladas mais pesado. Como se isso já não fosse o suficiente para classificá-lo automaticamente entre os cinco dinossauros mais maneiros, ele também tinha um cérebro em forma de banana. Aplausos para o giganotossauro!

Em terceiro lugar vem o maior dinossauro de todos os tempos, o ultrassauro. Não poderia ser o nome de algum monstro de um anime japonês? Ultrassauro também se parece com um nome que os paleontólogos criariam durante uma discussão, quando estivessem de porre, a respeito de quem havia descoberto o melhor dinossauro.

"Ei, adivinha? Descobri um ultrassauro outro dia...", vangloria-se o paleontólogo número 1, iniciando uma rodada.

"É mesmo? Bem, eu descobri um *supersauro* ontem", contra-ataca rapidamente o paleontólogo número 2.

"Ah, isso não é nada!", interrompe um terceiro. "No ano passado, descobri um *superdupersauro*!"

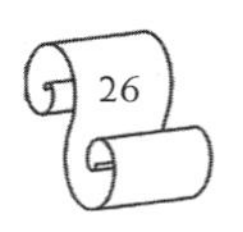


Nesse momento, um quarto paleontólogo entra no boteco com um fóssil do tamanho de Manhattan e diz: "O que vocês acham disto? Hein? Hein? Eu o chamo de *Fabulomegaultrasupersauro*", e por aí vai... Apesar do seu nome idiota, com trinta metros de comprimento e cinquenta de altura, o ultrassauro ainda reivindica o direito de ser chamado de a maior criatura que já caminhou pelo nosso planeta. E ninguém pode contestar isso. Por enquanto...

O segundo dinossauro mais bacana que já viveu é, certamente, o tiranossauro rex, o chamado "rei tirano". Durante um longo tempo, o T-rex foi considerado pelos paleontólogos a quintessência da "dinossauridade", o tipo de réptil que levariam com eles para o bar se quisessem impressionar as garotas.* Todavia, recentes controvérsias enfraqueceram a sua reivindicação ao trono. Críticos como o professor Jack Horner, da Montana State University, nos Estados Unidos, argumentam que os lobos olfativos de tamanho exagerado do T-rex, a sua velocidade relativamente lenta e os braços francamente ridículos o tornavam mais adequado para vasculhar o lixo em busca de alimento do que para caçar. Em vez de considerá-lo uma máquina mortífera nobre e poderosa, Horner define o rex como um frangote lento, fedorento e revirador de lixo. No entanto nem todo mundo concorda com isso, e em uma famosa refutação ao argumento de Horner, o acadêmico de Cambridge Richard Metcalf fez a seguinte declaração em 2008: "Um dia o professor Jack Horner estava sentado num canto comendo um pedaço de panetone quando de repente meteu o dedo dentro da iguaria, tirou dali uma uva-passa e gritou: 'Não sou demais?' Que espécie de paleontólogo é esse?". A questão continua em aberto.

Isso nos conduz ao primeiro colocado. Depois de muita deliberação e dor de cabeça, examinando no último instante recursos

---

* Sem sucesso, é claro, porque tentar impressionar uma mulher com um "bichinho de estimação" de cinco metros de altura e mais de doze metros de comprimento só pode ser coisa de *nerd* sem noção, ao estilo dos personagens do seriado *The Big Bang Theory*.

de muitas outras espécies conhecidas como o vulcanodon e o zigongossauro, o prêmio de melhor dinossauro vai para... o deinonico. O deinonico foi o dinossauro mais mortífero que já viveu sobre a Terra. Citando apenas um desses especialistas: "O deinonico foi o dinossauro mais mortífero que já viveu sobre a Terra". Era um monstrinho tão terrível que faria até o Godzilla fugir gritando de medo.

O deinonico era rápido, ágil, poderoso, tinha uma visão aguçada e era o mais inteligente de todos os dinossauros. Seu nome vem do grego, e significa "garra terrível". Contrastando com os braços patéticos do tiranossauro rex, ele tinha três enormes garras curvas em cada mão, bem como garras menores nos pés. Ele caçava em grupo, o que possibilitava que matasse até mesmo enormes saurópodes. Ele era, em resumo, um monstro, e muito, muito mais legal do que qualquer coisa da, digamos:

## A era dos mamíferos: 65 milhões a.C.

Se a era dos dinossauros tinha sido o momento de maior orgulho na história da Terra até então, a sua sequência imediata foi, sem dúvida, o mais constrangedor. Depois que os dinossauros foram exterminados pelo gigantesco meteorito, a Terra foi dominada durante algum tempo por – veja só – grandes pássaros que não voavam. Com a maioria dos assustadores répteis mortos, os cientistas acreditam que os pássaros propriamente ditos – isto é, aqueles que podiam de fato voar – tenham descoberto que a comida passou a ser tão abundante e fácil de obter que eles podiam simplesmente saltar de um lado para o outro no chão até encontrá-la. Fartando-se de comida e se tornando cada dia mais burros, esses grandes pássaros, com o tempo, ficaram tão gordos e preguiçosos que literalmente não conseguiam mais se erguer do chão. A coisa permaneceu assim durante 20 milhões de anos, até que, finalmente, eles foram obrigados a dar lugar a criaturas que efetivamente faziam alguma coisa para viver. Esses novos e pode-

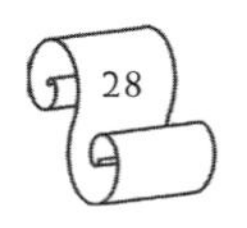


rosos animais eram os mamíferos, cuja dominância tem permanecido insuperável até hoje.

Na época dos dinossauros, havia várias espécies de mamíferos, mas somente na forma de criaturas pequenas, parecidas com roedores, que passavam a maior parte do tempo se escondendo, o que era supostamente o que estavam fazendo quando o meteorito atingiu o nosso planeta. Com os dinossauros fora de circulação, contudo, esses minúsculos, digamos, "camundongos" saíram dos seus esconderijos para brincar e aproveitaram a oportunidade para crescer e mudar de forma. Em pouco tempo (bem, alguns milhões de anos na verdade), havia elefantes, rinocerontes, leões, mamutes e tigres-dentes-de-sabre vagando pela Terra – não tão irados quanto os dinossauros, mas bem melhores do que os pássaros preguiçosos, que nem conseguiam mais voar.

A diversificação dos mamíferos foi favorecida pela posição dos continentes, que a essa altura tinham se espalhado e se transformado mais ou menos no que conhecemos hoje. Durante grande parte da era dos dinossauros, havia apenas uma enorme massa de terra, o ultracontinente conhecido como Pangeia ("Todo-Terra"), que tornou as primeiras Olimpíadas dos dinossauros uma questão bastante unilateral. Eles depois se dividiram naqueles dois continentes de nome psicodélico que já mencionamos, *Laurásia* e *Gondwana*. Agora, contudo, graças à invenção das placas tectônicas, os continentes tinham se separado ainda mais e a evolução pôde prosseguir livre, leve e solta nas regiões mais segregadas desse admirável mundo novo. Com as formas de vida no mundo ficando cada vez mais diferentes, até mesmo animais flagrantemente ridículos como o emu encontraram um lugar ao sol para descansar o esqueleto.

No entanto, nem tudo correu às mil maravilhas para os mamíferos, já que pequenos transtornos secundários como as idades do gelo contribuíam para extinguir espécies em intervalos regulares. O último deles ocorreu no período conhecido como Pleistoceno, que por acaso é a única época na história da Terra em

que as crianças devem ser advertidas para não colocar a mão na boca. São fósseis demais! Já pensou quantos milhares de partículas pré-cambrianas e dinossáuricas, entre outras coisas jurássicas e mesozoicas, poderiam existir num reles micrograma de poeira pleistocena? Essa época durou de 1,6 milhão a 10 mil anos atrás, embora também tenha sido entremeada por períodos interglaciais, quando os lençóis de gelo recuavam. Alguns geólogos afirmam que nós estamos vivendo em uma era interglacial, citando como prova os lençóis de gelo que ainda cobrem a Groenlândia e a Antártica. Eles advertem que um dia, no futuro, as geleiras poderão voltar de uma maneira dramática e destrutiva, a não ser que a humanidade trabalhe em conjunto, borrifando aerossóis, queimando combustíveis fósseis e incentivando o gado a peidar incontrolavelmente.

# PARTE 11

# A EVOLUÇÃO DOS PRIMATAS E O APARECIMENTO DOS PRIMEIROS HOMINÍDEOS

## Fora das árvores: 3 milhões a.C.

A maioria das pessoas hoje em dia concorda com a teoria de que os seres humanos descendem dos macacos, com exceção de uma ruidosa minoria de fundamentalistas cristãos no meio-oeste americano, que parece ter evoluído dos emus. A transição entre o macaco e o homem ocorreu há 3,2 milhões de anos por volta das 7 horas da manhã, quando uma jovem macaca precoce chamada Lucy decidiu descer da árvore e ficar em pé sobre as duas pernas pela primeira vez, imediatamente nocauteando a si mesma ao se chocar contra um galho baixo. Esse foi apenas o primeiro de muitos infortúnios evolucionários que, mesmo assim, acabaram levando grupos de hominídeos a engatinhar juntos no chão da floresta, se perguntando por que os seus ancestrais não paravam de defecar na cabeça deles.

Um milhão e meio de anos depois, na África, eles continuavam do mesmo jeito, só que a essa altura tinham feito uma série de descobertas milagrosas que tornaram a sua luta diária pela sobrevivência muito mais fácil. A primeira foi a pedra, que o homem primitivo percebeu, depois de muitas tentativas e erros, que não era uma espécie de batata muito dura que, se fervida por mais tempo, acabaria se tornando comestível. Durante algum tempo, o único emprego que conseguiram encontrar para as pedras foi jogá--las para cima tentando acertar os macacos que não paravam de defecar, de modo que o homem primitivo fez muito isso, já que ainda não conhecia completamente as leis da gravidade. Depois, eles começaram a fazer ferramentas com a pedra, conquistando o apelido de *Homo habilis.** Essas ferramentas não eram grande coisa como arma de caça, por isso a alimentação deles geralmente se baseava em frutas e nozes – que os macacos de vez em quando atiravam neles por pena. Que humilhação! Um belo *Planeta dos Macacos, o Início*, isto é, se houvesse entre eles um viajante do tempo antenado e metido a cineasta.

Eles também descobriram o fogo, que mais uma vez, depois de várias tentativas e erros, finalmente perceberam que não era um tipo de roupa que pudessem usar para se aquecer. Infelizmente, como se passariam muitos milênios antes que Lorde Baden-Powell criasse o movimento dos Escoteiros, eles não sabiam efetivamente como fazer fogo, por isso tinham de esperar que ele ocorresse naturalmente, provocado por um relâmpago ou por alguma outra forma de combustão espontânea. Então, eles o carregavam para onde quer que fossem, agitando-o de um lado para o outro entusiasmadamente, de uma maneira completamente sem noção – característica do homem das cavernas.

O *Homo habilis* cantou de galo durante 200 mil anos, até que foi finalmente suplantado pelo orgulhoso, forte e saudável *Homo erectus* – um nome que a maioria dos antropólogos ainda não consegue pronunciar sem dar risadinhas. (Vocês pensaram a mesma coisa, hein?) Bem, aprimorando suas ferramentas de maneira a incluir machados e facas (mais sofisticados, mas ainda feitos de pedra), eles foram provavelmente os primeiros autênticos caçadores,

---

* Literalmente, pessoa que passa muito tempo em lojas do tipo "faça você mesmo".

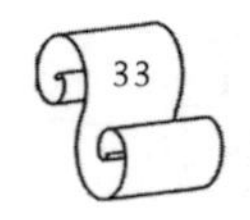


formando sociedades de caçadores-coletores nas quais saíam para caçar enquanto as mulheres ficavam em casa para colher frutos. É claro que esse esquema mudou pouco ao longo dos milênios, embora hoje em dia as mulheres possam obter toda a carne e todas as frutas que quiserem no supermercado, o que as deixa livres para adquirir outras coisas mais importantes, como sapatos, por exemplo. Os homens, nesse meio-tempo, tornaram-se inteiramente supérfluos. A não ser que elas ainda queiram ter seus "filhotes" sem inseminação artificial.

Além de caçar, o *Homo erectus* finalmente descobriu como fazer fogo esfregando meticulosamente dois pauzinhos em uma pilha de cinzas secas até sair praguejando de frustração e encontrar o isqueiro Zip que sua esposa por sorte se lembrou de comprar antes de fazer as malas. Isso tornou a vida deles muito mais fácil, principalmente porque eles estavam passando por uma era do gelo. A fogueira do acampamento se tornou não apenas um lugar para cozinhar, mas também uma sala de estar. O grupo se reunia à noite para contar as histórias das caçadas e as atividades do dia, e mais tarde alguém pegava um violão ou um instrumento qualquer e todos começavam a cantar repetidamente "Kum Bah Yah", que era tudo o que a linguagem primitiva da época conseguia produzir. Alguns minutos depois, o grupo caía na real e seus membros golpeavam o instrumentista com clavas até matá-lo. Veja que tocar violão em festinhas já era perigoso naquela época.

## Homem de Neandertal: 300.000 a.C.

O homem de Neandertal recebeu esse nome por causa do Vale Neander na Alemanha, onde um esqueleto foi desenterrado em 1856. Inicialmente, os cientistas acreditavam que os homens de Neandertal eram pouco mais do que selvagens abobados com clavas pesadas e traços animalescos, que pisavam duro embora mancassem, com a cabeça projetada para a frente sobre um pescoço largo e atarracado. (Algo parecido com zumbis de filmes de terror de quinta categoria.) Posteriormente, esses mesmos cientistas se deram conta de que o esqueleto que estavam observando era o de um alemão *moderno*, e riram alegremente do seu engano perfeitamente compreensível.

A forma física dos homens de Neandertal era bem diferente da forma de outras espécies de homem primitivo. Eles eram mais altos e tinham uma constituição mais vigorosa, com mandíbulas poderosas, sulcos grossos sobre as sobrancelhas e nariz grande. Tendo dominado o uso do fogo, eles podiam agora habitar as frias regiões glaciais que surgiram com outra era do gelo, usando armas de pedra para caçar e confeccionando roupas quentes com a pele dos animais. Eles também foram os primeiros humanos a enterrar os seus mortos. Faziam isso em rituais em que enterravam ferramentas, armas, comida e até mesmo flores junto ao corpo, o que indicava que eles talvez acreditassem em vida após a morte. Isso era provavelmente uma boa coisa, já que é quase certo que a vida deles era efetivamente uma bosta.

"Atualmente, as mulheres podem obter toda a carne e todas as frutas que quiserem no supermercado, o que as deixa livres para adquirir outras coisas mais importantes, como sapatos."

Os homens de Neandertal estavam espalhados pela Europa, Ásia e África até 30.000 a.C., quando, conforme a grande tradição da vida na Terra, eles se tornaram extintos. Há muito tempo, os cientistas estão intrigados com o fato de essa criatura relativamente inteligente ter sido extinta. Uma teoria propõe que eles não tenham conseguido sobreviver a uma era do gelo particularmente inóspita; outra sugere que eles sucumbiram a uma doença virulenta. Uma terceira aventa que eles podem ter se unido em casamento com membros de outros grupos de humanos, deixando aos poucos de existir como uma espécie isolada, embora tenhamos de imaginar que esses outros humanos deviam estar relativamente desesperados para fazer uma coisa dessas. Uma quarta ideia, menos agradável, é que eles tenham sido dizimados por outra espécie de homem que coexistia na época, o *Homo sapiens*, de quem nós descendemos. Não há evidências definitivas que confirmem essa teoria, mas, considerando-se a tradição sanguinária

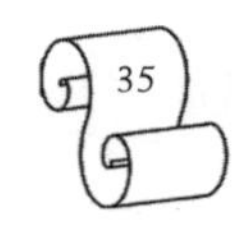


do "Homem Sábio" a partir de 30.000 a.C., parece de algum modo apropriado que a história da moderna raça humana tenha começado com um genocídio. Outra ideia, que só poderia ter saído de um livro de ficção científica, é a de que eles copularam com uma raça superior, os Cro-Magnon, dando origem ao homem moderno. (Mutantes, gente, mutantes! Stan Lee e seus X-Men atacam na pré-história.)

## *Homo sapiens* (Cro-Magnon): 30.000 a.C.

O *Homo sapiens* já estava por aqui mais ou menos desde 70.000 a.C. Mas por volta de 30.000 a.C., graças a um pouco da sobrevivência darwiniana do mais apto e ao estranho extermínio dos seus rivais evolucionários, o *Homo sapiens* se tornou o rei do pedaço. A partir do seu domicílio na Europa, ele se espalhou pelo mundo inteiro, inclusive pelas Américas e pela Austrália, onde gradualmente regrediu para o *Homo erectus*, situação que permanece até hoje.

Uma das razões pelas quais sabemos tanto a respeito do homem de Cro-Magnon é o fato de ele gostar muito de rabiscar nas paredes, uma nobre arte hoje conhecida como vandalismo. Exibindo níveis de delinquência que deixam envergonhados os nossos jovens modernos, esses homens e mulheres avançados rastejavam pelo interior sombrio das cavernas e então, em acessos insanos de criminalidade, desenhavam nas paredes inteiras com uma tinta que ainda hoje os arqueólogos têm dificuldade para remover.

Em matéria de roupas, eles se vestiam com o que havia de mais *fashion*, o que nos tempos do Cro-Magnon significava apenas uma coisa: couro. As mulheres mais vaidosas começaram a usar os mais diferentes tipos de roupas de couro, presas com pedaços de corda.* Nesse meio-tempo, com uma era do gelo rolando, os casais tinham de passar meses e meses entocados nas cavernas. Esses eram de fato Homens Sábios.

* Pense em Raquel Welch no filme *A Terra que o Tempo Esqueceu*.

MODA CRO-MAGNON – PEÇAS DE COURO MINÚSCULAS, PRESAS COM PEDAÇOS DE CORDA.

## A era neolítica: 8.000 a.C.

Certa manhã, em 8000 a.C., o homem de Cro-Magnon acordou cedo, saiu do seu seguro abrigo em estilo tenda indígena e perguntou: "Querida, o que você fez com todo aquele gelo?". A esposa, que durante toda a era do gelo usara apenas uns pedaços de couro presos com cordinhas, sorriu pela primeira vez em oito milênios: "Finalmente", disse ela. "Agora posso plantar as minhas abobrinhas e ter os meus canteiros de flores." Ela começou imediatamente a medir um pedaço de terra, planejando exatamente onde iria colocar as petúnias, enquanto o marido voltava para o abrigo para pegar o seu arco e sua flecha favoritos. Ele tinha esperança de capturar um mamute, um veado ou um javali, ou – como nunca sabemos se é o nosso dia de sorte – talvez até um homem de Neandertal que tivesse sobrevivido por mais tempo. "Vou dar uma saída, querida", avisou despreocupado. "Voltarei para o jantar."

Porém, ele topou com a esposa bloqueando a entrada com um saco de adubo composto. "O quê? E vai me deixar aqui, com toda essa terra pra cavar?!"

A Nova Idade da Pedra foi recebida com desalento pelos homens no mundo inteiro. Em vez de se arrastar da cama no meio da manhã, se reunir com os colegas para bater papo sobre couro e cordas e depois dar uma saída para matar algum bicho, os maridos se viram de repente obrigados a trabalhar para viver, cuidando da horta e cultivando produtos agrícolas. Um dos indícios reveladores do período neolítico, sem considerar o clima de desencanto, foi a domesticação dos animais. As pessoas pareciam preferir comer criaturas criadas no próprio quintal do que perseguir tigres-dentes--de-sabre na floresta, um fenômeno que o conceituado antropólogo Richard Leakey chamou de "muito gay". Em vez de serem caçados por causa da sua carne, os surpresos mamutes se viram, de repente, arrebanhados e obrigados a viver em estábulos, o que conduziu ao primeiro caso conhecido de uma espécie que deliberadamente extinguiu a si própria.

Logo as famílias neolíticas se mudaram das suas cavernas e cabanas improvisadas e construíram casas para morar, encerrando assim o estilo de vida seminômade da era paleolítica. Além disso, como ainda não tinham inventado as grandes lojas de departamentos, elas tinham até mesmo que fabricar a sua própria louça de barro, suas panelas, os potes de armazenamento e outros objetos bem menos atrativos do que lanças e flechas envenenadas. Isso não era nada divertido; desse modo, as pessoas tendiam a morrer por volta dos 35 anos, geralmente de propósito, para não continuar nessa vida besta.

O "avanço" final foi com relação à roupa. À medida que as técnicas de criação de animais de fazenda e da agropecuária se aprimoraram, as pessoas neolíticas foram capazes de produzir mais fibras. Com o tempo, elas aprenderam a tecer essas fibras e transformá-las em tecido. Isso conduziu a uma moda totalmente nova que, com exceção de um breve e, em última análise, embaraçoso flerte com as calças de couro na década de 1980, nunca foi realmente revisitada. As esposas neolíticas que ousavam sair de casa vestindo ainda as suas velhas blusinhas de couro eram logo ridicularizadas. "Oh, meu Deus!", diziam as pessoas horrorizadas. "Isso parece ter saído da Idade da Pedra... Tá tão fora de moda!"

O mundo, de fato, tinha evoluído.

# 2

# AS PRIMEIRAS CIVILIZAÇÕES (ATÉ QUE ENFIM!)

## (4000-300 a.C.)

### Introdução

Procure a palavra "civilização" no dicionário e você encontrará algo como "uma comunidade humana avançada com cultura e sociedade próprias e sofisticadas", o que parece excluir o Canadá.

No entanto, uma definição mais exata da palavra provavelmente seria "uma comunidade humana avançada com cultura e sociedade próprias e sofisticadas, de preferência por meio de massacres substanciais e induções em massa à escravidão, enquanto essa nova comunidade humana avançada com cultura e sociedade próprias e sofisticadas é então, por sua vez, eliminada por outra comunidade humana avançada, com cultura e sociedade próprias e sofisticadas, até que, para dizer a verdade, ninguém tenha realmente certeza à qual comunidade humana avançada ela supostamente deve pertencer, e, por Deus, não estávamos em uma situação bem melhor quando caçávamos mamutes na Idade da Pedra?"

PARTE 1

# COMO O MUNDO FICOU CIVILIZADO 4000-1200 a.C.

## A primeira civilização

A insipidez da revolução neolítica mostra que ela não ocorreu em todos os lugares ao mesmo tempo. Embora a ensolarada Mesopotâmia e o Oriente Médio como um todo tenham logo sucumbido, a Europa Central conseguiu resistir por outros 3 mil anos, enquanto a destemida Grã-Bretanha se agarrou heroicamente à sua condição atrasada até 3000 a.C. Houve, portanto, importantes variações com relação à época em que diferentes partes do mundo se tornaram civilizadas.

As primeiras verdadeiras civilizações do mundo surgiram no Iraque, na extremidade inferior do vale da Mesopotâmia, próximo à região onde os rios Tigre e Eufrates deságuam no Golfo Pérsico. Tabuinhas de barro remanescentes do período fazem menção ao rei da Suméria, o que pareceu um bom nome para o povo como um todo. Ao longo de um período de 1.500 anos, os sumérios desenvolveram cidades, governos, leis, calendários, templos, o comércio e a literatura, numa época em que os celtas na Grã-Bretanha ainda estavam a séculos de dominar a arte de se pintar de roxo.*

---

* Uma maneira de tornar a sua aparência mais aterrorizante para os inimigos – como se a sua barba laranja e o sotaque incompreensível não fossem suficientes.

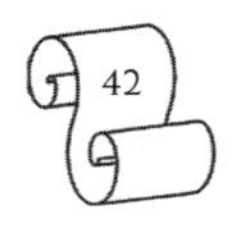


A principal atividade dos primeiros sumérios era se afogar em inundações, o que faziam com êxito ano após ano, pois eles eram um povo avançado. No entanto, com o tempo, alguns deles começaram a cogitar que talvez fosse melhor *não* ter tanto êxito nisso, e passaram então a pensar em maneiras pelas quais poderiam evitar que isso acontecesse. Deixar de viver entre dois enormes rios que transbordam o tempo todo foi uma ideia popular durante algum tempo; coletes salva-vidas foram outra. Infelizmente para os sumérios, essa última ideia foi frustrada pela invenção inovadora do bronze, que teimava em não flutuar muito bem. Por isso, eles optaram por uma terceira ideia: construir uma vasta e complexa rede de diques e canais de irrigação.

Essa foi uma sacada e tanto, que tinha também a vantagem de fornecer água para os campos mesmo durante a estação seca. O problema era que a manutenção dos diques demandava muito trabalho, trabalho demais para os agricultores individuais, que ainda passavam a maior parte do tempo relembrando a era do gelo. Para organizar os projetos em grande escala necessários para a realização desse trabalho, os sumérios, exibindo o mesmo tipo de clareza e perspicácia que os levara inicialmente a viver em uma zona de inundação, decidiram que a melhor coisa a fazer seria criar uma instituição chamada "governo" e deixar que ela organizasse tudo. Essa medida audaciosa e inspiradora custou caro para eles, e o governo sumério finalmente concluiu com sucesso o projeto (estourando o orçamento em apenas 800%) em 2002 d.C., apenas 4.300 anos depois que os sumérios tinham deixado de existir.

Com os campos bem irrigados produzindo safras excedentes, muitas pessoas aproveitaram a oportunidade para abandonar a agropecuária e se dedicar a outras profissões, criando assim a "divisão de trabalho", um pré-requisito para que pudessem se considerar uma verdadeira civilização. Logo, logo a Suméria estava inundada por carpinteiros, ceramistas, ferreiros, pedreiros, entalhadores, construtores de barcos e joalheiros; e levou muito tempo para que alguém percebesse que, como os sumérios moravam em aldeias agrícolas isoladas, esses novos artesãos não tinham, na verdade, nada para fazer. Preocupado com o efeito do crescente desemprego nos números de suas pesquisas, o governo sumério decidiu enfrentar o problema construindo cidades.

A população dessas novas cidades dedicava o seu tempo a melhorar a si mesma e a espécie humana como um todo tentando massacrar uns aos outros em intervalos regulares com espadas de bronze. Nesse meio-tempo, eles inventaram um calendário baseado nos movimentos da Lua, passaram a medir o tempo usando minutos e segundos, adoravam deuses vingativos, condenaram o mundo a 6 mil anos de aulas em laboratórios de idiomas construindo a Torre de Babel e passaram a se dedicar cada vez mais ao comércio. Foi provavelmente essa última atividade que conduziu à sua maior invenção: a escrita. Com as mercadorias entrando e saindo aos borbotões dos depósitos das cidades, o governo sumério precisava inventar uma maneira de manter o registro delas, pois, caso contrário, como as pessoas iriam saber quais formulários teriam de preencher? Eles inventaram, então, uma espécie de escrita pictográfica chamada *cuneiforme* (outra palavra que os historiadores nunca conseguem pronunciar sem um sorrisinho malicioso...). À medida que o número de símbolos foi aumentando com o tempo, eles foram capazes de produzir frases inteiras como esta:

CUNEIFORME: À MEDIDA QUE O NÚMERO DE SÍMBOLOS FOI AUMENTANDO COM O TEMPO, ELES FORAM CAPAZES DE PRODUZIR FRASES INTEIRAS COMO ESTA.

Apesar dessas realizações, entretanto, quando os tempos de crise chegaram, os sumérios se revelaram uns incompetentes. Por volta de 2500 a.C., eles já haviam passado um tempo enorme lutando uns com os outros, o seu poder sobre a região tinha enfraquecido e eles estavam se tornando vulneráveis a ataques de povos rivais do norte. Em 2271 a.C., eles foram atacados por um rei acadiano chamado Sargão, o Grande, que um dia acordou e decidiu que queria ser um recordista. Consultando o *Guinness World Records*, que surgiu mais ou menos nessa época, Sargão descobriu que só havia um recorde que valia a pena ser quebrado, ou seja, o maior número de guerras em um único reino, na época em poder do Rei Lugal-zage-si, que também era governante da cidade de Umma e de Uruk. Ele se dedicou de corpo e alma à sua tarefa, porque tinha ouvido falar que era isso que ele tinha de fazer, e nos cinquenta anos seguintes conseguiu destruir todas as cidades da Mesopotâmia. Tudo estava acabado para os sumérios vanguardistas, e dentro de duzentos anos ninguém nem mesmo falava a língua deles.

## Olho por olho, dente por dente e outros costumes engraçados e bizarros do período

Infelizmente, os acádios não duraram muito porque, por coincidência, viveram na mesma época que os babilônios, que são muito mais famosos. Em 1750 a.C., o Rei Hamurabi, líder dos babilônios, uniu todas as cidades-estados da Mesopotâmia e, num ato típico de modéstia apaziguadora, deu a elas um novo conjunto de leis, que ele discretamente gravou em uma coluna de 2,5 metros. As leis que compunham esse chamado Código de Hamurabi foram as primeiras a ser estabelecidas por escrito e causaram inicialmente um pouco de consternação, já que havia 282 delas e a maioria das pessoas não sabia ler. Não obstante, quando os cidadãos se uniram e se deram conta de quais eram as penalidades, acharam que elas tornavam a vida bem mais simples. Particularmente porque quase todos eles, a essa altura, estavam mortos. O Código de Hamurabi prescrevia a pena de morte praticamente para tudo, inclusive

"cobiçar os animais do próximo", "falar alto demais no bar" e "pegar de surpresa a mulher de outro homem". Outra parte famosa do código decretava "olho por olho, dente por dente", o que no mínimo reduziu o número de dentistas e aumentou a quantidade de tapa-olhos no reino.

A relativa estabilidade da civilização babilônica foi abalada por uma invasão dos nômades cassitas do leste. Os babilônios esperavam que os cassitas fizessem o que os nômades normalmente fazem, ou seja, matassem todo mundo que conseguissem encontrar e depois seguissem adiante. No entanto, para surpresa de todos (inclusive, perigosamente, das mulheres babilônicas), os cassitas descobriram que gostavam bastante de viver na Mesopotâmia e decidiram amarrar seu burro por lá. No decorrer dos quatrocentos anos seguintes, os cassitas se distinguiram por ter descoberto, de alguma maneira, um jeito de não fazer absolutamente nada de útil. Eles não construíram templos, não escreveram livros, não fizeram novas descobertas nem invenções, não decretaram leis draconianas e não travaram guerras importantes. Os babilônios fizeram várias tentativas de se livrar dos hóspedes indesejáveis, oferecendo dicas sutis sobre como acordar cedo pela manhã e botar as crianças na cama, mas os cassitas sabiam quando encontravam uma mamata e se recusaram obstinadamente a partir.

Os cassitas acabaram sendo aniquilados por um povo muito mais ativo* conhecido como "os assírios". No entanto, essa história particular precisa esperar algumas páginas, porque agora chegou o momento de contar a história dos misteriosos e, vamos ser verdadeiros, extremamente sedutores egípcios.

* Leia-se, sanguinários e violentos.

# PARTE II

# OS EGÍPCIOS 3000-1090 a.C.

## A ascensão do Egito

Os egípcios não eram um povo que carecesse de boa sorte. Além de serem naturalmente protegidos das invasões por mares de um do lado e desertos de outro, eles também tinham um rio maravilhosamente abundante, que transbordava previsivelmente todos os anos, gerando um solo rico e fértil nas terras cultivadas. Foi isso que propiciou as condições para o seu salto precoce em direção à civilização. "Todo o Egito é uma dádiva do Nilo", escreveu o historiador grego Heródoto ao ouvir isso dos sacerdotes egípcios, quando viajou pelo país por volta do ano 500 a.C.: "Que bando de sortudos filhos da mãe!".

A ascensão do Egito como nação começou quando um tal de Rei Menés conseguiu unir as metades norte e sul do país em 2850 a.C. Ele fundou a sua capital em Mênfis, o que causou confusão durante algum tempo porque, se Menés era o rei de Mênfis, Elvis então era o quê?* Entretanto, depois que resolveram a questão, as coisas prosseguiram tranquilamente. Menés e os seus descendentes conceberam uma engenhosa estratégia para garantir que todo mundo fizesse o que eles mandassem o tempo todo. Disseram ao povo que eram deuses. "Está vendo aquela grande bola de fogo no

* Trocadilho com a cidade de Memphis (Tennessee, EUA), onde viveu Elvis Presley, conhecido como "o Rei do Rock". (N. do E.)

céu, aquela que ilumina o dia, nos fornece calor e dá vida a este mundo mortal, o corpo celeste que chamamos de Rá?", ele teria dito sorrindo calmamente. "Então... Esse corpo celeste sou eu." E o interessante é que as pessoas acreditavam neles. Elas também acreditavam quando os faraós diziam que o Nilo só transbordava todos os anos porque eles determinavam que ele fizesse isso, e que todo mundo no Egito poderia alcançar a vida eterna simplesmente fazendo tudo o que os faraós mandassem. Era um brilhante sistema que conferia aos faraós autoridade e prestígio quase ilimitados – até o momento em que o Nilo, por alguma razão, não transbordasse, quando então, de um modo geral, eles eram assassinados.

Seria justo dizer que os faraós não desperdiçavam o seu poder. Com um vasto país para governar, inimigos estrangeiros para combater e uma economia florescente para regulamentar, os reis do Egito fizeram o que esperaríamos que quaisquer governantes responsáveis fizessem: construíram enormes prédios pontiagudos no deserto. Uma boa parte das pirâmides foi construída nesse período inicial, inclusive a grande pirâmide de Gizé, que demandou 100 mil homens e mais de vinte anos para ser concluída. As pirâmides, é claro, abrigavam as tumbas dos faraós, e tinham de ser muito grandes para que os seus egos superinflados coubessem dentro delas. Elas estavam repletas de objetos de ouro que o faraó levaria com ele para o outro lado, e continham mensagens assustadoras, como "A morte buscará quem perturbar o sono do Faraó", o que, pelo menos, fazia com que as pessoas batessem de leve na porta antes de saquear os túmulos.

"O Egito viveu uma idade de ouro na qual fez incríveis avanços na arte de desenvolver sistemas de escrita incompreensíveis, criar deuses em forma de animais com uma aparência bizarra e interessantes exposições para o Museu Britânico."

Com esses líderes visionários no comando, o Egito viveu uma idade de ouro na qual fez incríveis avanços na arte de desenvolver sistemas de escrita incompreensíveis, criar deuses em forma de animais com uma aparência bizarra e interessantes exposições para o Museu Britânico. Embora houvesse contratempos ao longo do caminho, particularmente

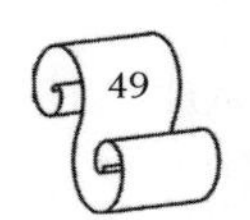


quando imigrantes da Síria assumiram o controle do país enquanto os egípcios estavam tirando uma breve soneca depois do jantar, o Egito era alvo da inveja de todo o Oriente Médio. Depois de 1500 a.C., ele até mesmo conseguiu fundar um império que se estendia das areias do deserto do Sudão ao resplandecente mar azul da Palestina, causando confusão entre os arqueólogos amadores ao criar o Alto Egito (no sul) e o Baixo Egito (no norte). Os bons tempos pareciam destinados a durar para sempre. Isso – é claro – fez com que essa fosse uma época perfeita para:

## O declínio do Egito

O Império Egípcio proporcionou uma riqueza sem precedentes ao país, e, como de costume, os faraós decidiram desperdiçá-la em imensos templos e tumbas, alguns dos quais eram tão grandes que os faraós morriam várias décadas antes que fossem concluídos. Com o tempo, entretanto, o povo começou a se cansar desse desperdício, particularmente porque sua *tumba* geralmente consistia no buraco que se formava quando um pedaço gigantesco de pedra caía do templo que eles estavam sendo obrigados a construir. A insatisfação era grande. Moisés até mesmo chegou ao ponto de conduzir o seu povo hebreu para fora do país por uma passagem mítica no Mar Vermelho.

Para piorar ainda mais as coisas, o império do Egito estava se revelando bem mais difícil de governar do que fora de conquistar. Agitadores do poderoso reino hitita na Ásia Menor causaram distúrbios na Síria e na Palestina, promovendo ativamente a rebelião contra os egípcios com *slogans* atrativos como "Keep Calm and Be a Hitita!" e "Junte-se ao Império Hitita! É um pouquinho melhor do que a escravidão!".

Nessa época crítica, o Egito foi prejudicado pela ascensão ao trono de um faraó fraco e tolo chamado Amenhotep. Amenhotep só tomou uma boa decisão durante todo o seu reinado: casar-se com a belíssima rainha Nefertiti, famosa em todo o Egito graças ao seu ultramoderno guarda-roupa de túnicas transparentes. Compreensivelmente, contudo, isso explica por que o novo faraó não estava excessivamente interessado em sair para travar longas e árduas campanhas contra os hititas – ele preferia ficar em casa, onde podia elaborar longas e árduas campanhas de natureza diferente. As pessoas tinham tanta inveja dele que acabaram por obrigá-lo a abdicar em favor do seu filho adolescente, Tutancâmon. Infelizmente para Tutancâmon, ele morreu com apenas 17 anos, exatamente quando estava começando a compreender por que não conseguia parar de ficar olhando para a mais recente túnica da sua madrasta. "Droga, essa maldita túnica é de matar!", ouviram-no murmurar no seu leito de morte, uma declaração fatídica que se tornou conhecida como a Maldição de Tut.*

A partir de então, o Egito se esforçou para deter os invasores nos seus portões. Alguns faraós poderosos resistiram aos ataques, particularmente Ramsés II, mas com o tempo eles acabaram perdendo o império. Depois de 670 a.C., os assírios, os persas, os macedônios, os romanos, os turcos, os franceses e os britânicos se revezaram no poder, e foi somente no século XX que o Egito finalmente recuperou a sua independência. Mesmo assim, sob domínio árabe, porque egípcios mesmo só os que sobraram sob as areias do deserto do Saara. O Antigo Egito seguiu o processo de toda grande civilização da Antiguidade: nasceu, cresceu, floresceu e morreu, deixando apenas vestígios de sua cultura, um enorme legado artístico e arquitetônico e sua misteriosa escrita.

---

* Dizem que a Maldição de Tutancâmon atingiu, em 1922, os escavadores da sua tumba, todos os quais, misteriosamente, *hoje* estão mortos.

# PARTE III

# A ERA DAS PEQUENAS NAÇÕES 1200-800 a.C.

## Os fenícios

O colapso do império egípcio deixou o Oriente Médio sem um centro de poder adequado durante quase quatro séculos, o que possibilitou que nações fracas e pacíficas como a dos fenícios prosperassem. O poder dos fenícios baseava-se no comércio. Navegando para partes menos desenvolvidas do planeta, eles faziam negócios de troca mutuamente benéficos com a população local, nos quais essa última concordava em entregar os seus metais preciosos e suas joias e, em troca, os fenícios concordavam em fornecer aos habitantes locais... madeira. É uma política que as empresas do comércio até hoje ainda gostam de empregar com as nações em desenvolvimento. Eles negociavam dessa maneira com os povos da Grécia, da Itália, da África do Norte, da Espanha e da França. Existem até evidências de que chegaram à Grã-Bretanha neolítica, onde o primeiro encontro aconteceu mais ou menos assim:

FENÍCIOS: **Saudações, nobres bretões! Somos negociantes dos metais reluzentes ouro, prata e bronze, e pretendemos fazer negócios justos e mutuamente benéficos com vocês. Digam-nos: vocês possuem belos metais preciosos?**

BRETÕES: Temos um pouco de estanho.

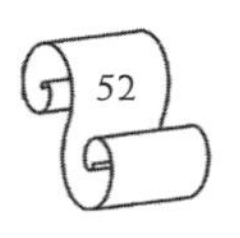


FENÍCIOS: **Um pouco de quê?**

BRETÕES: Estanho

FENÍCIOS: **Não sabemos exatamente o que é isso.**

BRETÕES: Sabem, sim... As latas de sopa. Temos uma grande quantidade disso. O problema é que não conseguimos abri-las. Vocês por acaso têm um abridor?

FENÍCIOS: **Temos de ir agora.**

BRETÕES: Mas vocês acabaram de chegar! Fiquem mais um pouco e jantem conosco. Vamos comer uma fina iguaria feita de sangue coagulado.

FENÍCIOS: **Hum... Parece muito apetitoso, mas... talvez outra hora...**

O comércio com a Grã-Bretanha não durou muito, mas por sorte isso deu tempo aos fenícios para que fizessem outras coisas, como inventar um alfabeto. Aperfeiçoando a escrita cuneiforme (risadinha) e os hieróglifos, eles produziram um alfabeto de 22 letras formado inteiramente por consoantes e nenhuma vogal. Como isso deixou os jogos de soletrar dos programas de TV um pouco monótonos, os gregos mais tarde acrescentaram vogais, criando o alfabeto que conduziu, por intermédio dos romanos, ao alfabeto que nós usamos hoje. Lamentavelmente, nem mesmo esse novo alfabeto conseguiu tornar menos monótonos esses jogos de soletrar.

## Os hebreus

Originalmente nômades do Deserto da Arábia, os hebreus tinham se estabelecido na baixa Mesopotâmia, onde gozavam os frutos da civilização babilônica. Em 1800 a.C., contudo, mais ou menos na época em que Hamurabi estava prescrevendo a pena de morte para o crime de "esquecer-se de fechar a porta quando sair de um cômodo", eles decidiram que essa talvez fosse uma boa oportunidade para dar no pé. Liderados pelo seu patriarca Abraão, eles tomaram o rumo da terra de Canaã,* a atual Palestina, onde esperavam encontrar a sua terra natal. Lamentavelmente, quando chegaram, ficaram consternados ao descobrir que já havia habitantes lá, os canaanitas, para ser mais preciso, que não ficaram exatamente felizes com a chegada dos hóspedes. Obrigados a viver nas partes mais áridas da terra, os hebreus se ocuparam de várias atividades importantes, a maioria delas relacionadas com não morrer de fome. Fugindo para o Egito, eles ficaram arrasados quando descobriram que lá também havia habitantes – dessa vez, os egípcios. Apesar de ter havido um período inicial de prosperidade, quando José impressionou o faraó com a sua incrível habilidade para interpretar sonhos, os hebreus logo se viram novamente em apuros. Em 1200 a.C., as doze tribos fugiram do país, seguindo Moisés no que esperavam que pudesse ser apenas uma breve caminhada pelo deserto, de volta para Canaã.

Quarenta anos depois, eles começaram a se questionar se não teria sido uma boa ideia perguntar antes qual era a distância que iriam percorrer. As coisas não estavam indo muito bem, mas de repente Moisés teve uma revelação. Vendo o seu povo morrer desamparado no calor sufocante, malnutrido e desgastado por anos de dominação e privações, ele chegou a uma importante conclusão:

"Já sei", declarou. "Nós devemos ser o Povo Escolhido de Deus!"

Como prova, Deus enviou os Dez Mandamentos, nos quais prometeu manter os hebreus em segurança e livres de todo sofrimento e infortúnio desde que eles o adorassem como o Único e Verdadeiro Deus e não fizessem nenhuma idiotice como derreter todos os seus pertences e venerar um bezerro de ouro.

"Ha ha! Como se fôssemos fazer uma coisa ridícula como essa!", riram os hebreus, agrupando-se de maneira suspeita. "Mas que ideia!... Ha ha ha ha!"

"Ora, por favor", disse Deus. "Já estou vendo a maldita coisa reluzindo!"

* Ou Cnn, como os fenícios a chamavam.

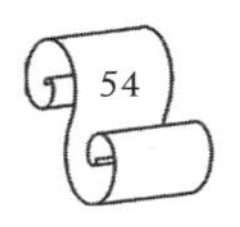


Apesar desse pequeno infortúnio, os hebreus acabaram chegando a Canaã e marcaram a sua primeira vitória importante na história tocando trombetas e dando sete voltas ao redor da cidade de Jericó por ordem de seu deus, Jeová, até que os muros desmoronaram, provavelmente devido ao tédio de ver um povo estrangeiro surgido não se sabe de onde e dando voltas e mais voltas num tipo de ritual estranho. Em seguida, eles se viram envolvidos em outro conflito, dessa vez com os poderosos filisteus, liderados, é claro, pelo seu terrível guerreiro de quase três metros de altura, Golias. Os hebreus foram prejudicados por brigas entre as doze tribos até que surgiu um líder forte chamado Saul, que fez uma sugestão muito inteligente:

"Ei, por que não voltamos todos para o Egito?"

Por sorte, ele estava apenas brincando, e o que realmente queria dizer era o seguinte: "Por que nós todos não nos reunimos e lutamos como um povo unido? E eu serei o rei". Além disso, ele conhecia um jovem e intrépido pastor chamado Davi, que era um prodígio com a funda, uma espécie de estilingue.

Isso deu certo, e nos sucessivos reinos de Saul, de Davi e do filho de Davi, Salomão, os hebreus deram adeus aos filisteus e se tornaram os reis do pedaço. Salomão construiu um esplêndido templo em Jerusalém para abrigar a Arca da Aliança, na qual os Dez Mandamentos estavam guardados.* A lealdade a Jeová tornou-se a pedra angular da nação hebraica. Salomão, em particular, se revelou um governante extremamente sábio. Por exemplo, quando duas mulheres o procuraram, cada uma afirmando ser mãe da mesma criança, Salomão propôs cortar o bebê ao meio. Enquanto uma das mulheres protestou com veemência, a outra pareceu estranhamente resignada, pedindo ao rei que não fizesse isso, mas deixasse o bebê sob a proteção da outra. Isso provou que ela era a verdadeira mãe do rebento e a outra, uma mentirosa de mão cheia. Esse episódio

* Praticamente o único lugar onde os Dez Mandamentos eram observados, a julgar pelos hábitos extraconjugais de Davi.

fez Salomão perceber que, francamente, os hebreus precisavam rever os conceitos dos Dez Mandamentos, visto que as pessoas não pensavam duas vezes antes de levantar falso testemunho.

Quando Salomão morreu, contudo, as coisas começaram a desandar. Alguns hebreus tinham se irritado com os constantes comentários sarcásticos e truques de Salomão, como dividir bebês ao meio; por isso, quando o grande governante bateu as botas, metade do seu reino também foi para o brejo. A parte norte formou o reino dissidente chamado Israel, enquanto os sulistas permaneceram leais, criando a Judeia.

Dos dois, a Judeia teve um pouquinho mais de sorte. Enquanto os hebreus foram conquistados em 722 a.C. pelos assírios e levados em massa para o cativeiro (uma coisa que os assírios faziam muito), os judeus resistiram bravamente, só concordando em entregar aos assírios um pequenino tributo anual: toda a riqueza de cada criatura humana da Judeia (outra coisa que os assírios faziam muito).

No entanto, em 586 a.C., os caldeus invadiram a região e também levaram todos para o cativeiro.

Assim termina a primeira lição dos hebreus.

# PARTE IV

# A ERA DOS IMPÉRIOS 800-300 a.C.

## Os amistosos e amáveis assírios

Os assírios começaram a sua história como simples agricultores que cultivavam os solos do norte da Mesopotâmia, e não havia nada na sua aparência que pudesse sugerir que eles iriam acabar a sua existência como cruéis assassinos em série, gananciosos coletores de impostos e conquistadores sanguinários. As pessoas costumavam dizer: "Oh, sim, eu conheci um assírio. Ele era um cara legal, meio caladão, que vivia na dele. Então, um dia, do nada, ele aparece na minha casa e, sem ao menos dizer bom-dia, me esfola vivo e escraviza a minha família inteira! Que figura!".

Como muitos assassinos em série, os assírios de modo geral tiveram uma infância infeliz. Eles passavam, normalmente, os seus anos de formação sendo maltratados por civilizações mais antigas como a dos cassitas e a dos hititas. Também eram alvo de cruéis provocações na escola, que giravam em torno da ambiguidade do seu nome:

**"Ei, veja, é um sírio!"**
Não sou um sírio. Sou assírio.
**"Foi o que dissemos."**
Não, vocês não disseram isso. Disseram que eu era um sírio.
**"Você é um sírio."**
Não... Não sou. Sou assírio.

**"Um sírio?"**

Não! Começa com Ass.

**"Ahh, tá, entendi! Como a palavra *ass* daquele dialeto estranho dos bretões, o que significa que você é um bundão!!! HAHAHAHAHAHAHA**

Com o tempo, os assírios ficaram tão irritados com isso que formaram exércitos. No início, eles só travavam guerras com aqueles que os provocavam. No entanto, depois de algum tempo, perceberam o benefício de começar as guerras *antes* de sofrer qualquer provocação. As guerras preventivas, poderíamos dizer, evitavam os golpes. De acordo com essa nova "doutrina", eles encontraram uma desculpa para lançar ataques surpresa contra os hebreus, fenícios e cassitas, e também contra as variadas tribos das montanhas e os nômades do deserto. Equipados com armas de ferro, unidades de cavalaria e armadilhas, eles eram uma força imbatível, particularmente quando começaram a respaldar os seus ataques com atos sistemáticos de terror e brutalidade sanguinários. Esfolar, queimar, arrancar o olho e empalar: tudo fazia parte de um dia de trabalho do assírio típico. A reputação deles era tão terrível que muitas cidades optavam simplesmente por não lutar, preferindo "agarrar os pés" dos atacantes. Os assírios gostavam de responder dando um bom chute nos dentes dos que estavam se rendendo.

Para sorte do mundo civilizado, o domínio dos assírios não durou para sempre. Por mais estranho que pareça, eles nunca conseguiram cativar o coração e a mente dos povos que eles massacravam – a não ser literalmente –, e, quando os seus recursos militares começaram a diminuir, os assírios se viram incapazes de evitar a rebelião. Em 612 a.C., os caldeus, que tinham investigado a fundo as técnicas militares dos assírios, entraram na capital, Nínive, e, numa impressionante exibição do que haviam aprendido, massacraram cada um dos habitantes vivos. O império assírio desmoronou em segundos, e ninguém, nem mesmo os sírios, lamentaram o seu fim.

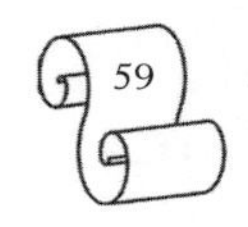


## Os persas

Os caldeus não duraram muito tempo, já que viviam se distraindo com outras coisas, como decorar a sua capital na Babilônia com cestos suspensos em todos os jardins e tentar dizer o nome do seu rei mais famoso – Nabucodonosor II – três vezes seguidas sem cuspir.

Por conta disso, não foi nenhuma surpresa quando eles foram completamente dizimados por volta de 550 a.C. pelos belicosos persas do Irã, que tinham a ideia fixa de que "jardim suspenso" era aquele em que se praticavam execuções em massa. Os persas baseavam o seu poder em uma unidade de excelentes tropas de elite conhecidas como "os Imortais". Ter soldados que não podiam morrer parecia uma leve injustiça para os exércitos contra os quais eles lutavam – particularmente os povos humildes como os hebreus, cuja unidade de elite, a "Vamos Tentar Sobreviver até a Hora do Almoço", nunca conseguiu chegar ao refeitório. No reinado do Rei Dario, o Grande, eles criaram um império que ia do Egito ao norte da Índia, possibilitando que os persas se dedicassem ao seu ambicioso plano mestre de cobrir todo o Oriente Médio com magníficos tapetes de lã.

> "Ter soldados que não podiam morrer parecia uma leve injustiça para os exércitos contra os quais eles lutavam."

Quando não estavam fazendo isso, praticavam uma religião monoteísta chamada zoroastrismo, articulada nos tempos antigos por um grupo de homens que montavam camelos – esses homens eram chamados de Magos. Os Magos passavam a maior parte do tempo contemplando o céu noturno e fazendo comentários do tipo: "Ei, eu poderia jurar que aquela estrela ali acaba de se mover! Rápido, vamos pegar os nossos camelos! Oh, não, esperem, sinto muito, acho que é uma embarcação aérea de uma outra civilização. Oh, mas e aquela? Puxa, não, foi só o meu dedo na lente". Eles não eram nem de longe tão sábios quanto pareciam, mas devemos a eles a descoberta do nascimento de Jesus.

Os persas fizeram um trabalho eficiente quando governaram o mundo, apesar da sua pouco saudável obsessão por estábulos, mas tudo tem um fim. Os reis, como a maioria dos homens, passavam mais tempo tentando sobreviver às intrigas criadas por suas esposas e seus filhos do que fortalecendo o império. Os governantes locais também eram um estorvo, sempre tentando puxar o tapete do rei. Até que em 335 a. C., Alexandre, o Grande, veio da Macedônia e conquistou tudo em cerca de quatro minutos e meio. (Exagero, na verdade demorou quatro anos com a derrota total dos persas e Dario morto em 331 a.C.) O Império Persa desapareceu tão rápido quanto surgira, mas deixou para trás um legado de governo tolerante e esclarecido do qual o mundo não iria se esquecer facilmente, pelo menos durante meados da primeira semana após esses eventos.

# PARTE V

# ENQUANTO ISSO, NO RESTO DO MUNDO... 2500-256 a.C.

Enquanto o Oriente Médio estava ocupado construindo e destruindo civilizações, as pessoas no resto do mundo estavam fazendo o que sabiam fazer melhor: agradecendo à sua boa estrela por não viver no Oriente Médio.* Elas avançavam lentamente em direção ao progresso – os druidas na Ilha da Bretanha, por exemplo, tinham começado a arrastar enormes blocos de pedra para construir o primeiro observatório astronômico da história, o Stonehenge, embora ainda não tivessem entendido por que faziam isso – porém ainda caminhavam a passo de cágado rumo à Nova Era da Pedra. Dois países, contudo, iam de vento em popa, se considerarmos que também estavam constantemente se afogando em inundações de rios. Esses países eram a Índia e a China antigas, ou, como eram conhecidos na época, a Índia e a China modernas.

## Índia antiga

### A ÍNDIA DESENVOLVE VACAS

Antes de 2500 a.C., enquanto as pirâmides estavam sendo construídas no Egito e derrubadas na Suméria, havia uma civilização altamente desenvolvida na Índia, a qual, os historiadores podem afirmar com a mais absoluta certeza, não existe mais. Nós não

* Um costume que persiste ainda hoje.

sabemos o que aconteceu com ela nem quem eram as pessoas que viveram ali, mas, como não deixaram nenhum vestígio de sua existência, é bastante razoável afirmar que a coisa não acabou bem para esse povo.

Sabemos um pouco mais a respeito dos seus sucessores porque esses foram atenciosos o bastante para deixar ruínas. Eram chamados de harapanos – e remontam a pelo menos 2500 a.C. Constatou-se que as quatro cidades harapanas – Mehrgarh, Harappa, Mojenho-Daro e Lothal – que foram encontradas eram cercadas de grades, o que indica que os seus governantes podem ter sofrido de uma falta de imaginação quase crônica. No entanto, eles eram altamente avançados. Tinham banhos públicos e esgotos feitos de tijolos, e as residências mais ricas tinham banheiros dentro de casa e calhas para lixo. Algumas casas na Índia ainda são assim até hoje. A base da subsistência dessa civilização estava na agricultura e no comércio; eles construíram embarcações que chegavam a navegar até a ilha de Bahrain, no Golfo Pérsico, presumivelmente por causa das isenções fiscais.

Lamentavelmente, contudo, essa civilização não durou. Isso aconteceu porque as tribos dos arianos da Ásia Central (também chamados indo-europeus) ficaram sem vacas. Ou melhor, eles não ficaram sem vacas, eles simplesmente queriam mais vacas e acharam que os indianos talvez tivessem algumas. Os arianos adoravam as vacas. Como não tinham moeda, naqueles tempos, a vaca também era unidade de troca, e a riqueza de um ariano era calculada pelas cabeças de gado que ele tinha. Por isso eles só pensavam nelas, dia e noite. Vacas, vacas, vacas e mais vacas. Eles gostavam tanto das vacas que o *slogan* deles para a guerra era "Pelo desejo de ter mais vacas". Eles guerreavam muito. Também se tornaram radicalmente vegetarianos, o que nos leva a questionar por que exatamente eles queriam as vacas.

Seja lá qual fosse a motivação exata, os indo-europeus de pele clara, encantados pelo som de longínquos mugidos, atravessaram as montanhas do Himalaia pelo Desfiladeiro do Khyber e entraram no norte da Índia. Lá, eles se depararam com as cidades limpas e altamente desenvolvidas dos harapanos. "Mas que golpe de sorte!", pensaram eles – depois disso, as incendiaram. Os indo-europeus eram um povo nômade e não gostavam de se fixar em um único lugar, para não desenvolver uma cultura. Eles rapidamente devastaram o norte da Índia, enquanto os nativos decidiram fugir para o sul, particularmente quando viram o que os recém-chegados estavam fazendo com as suas vacas.

Os invasores levaram bem mais de quinhentos anos para se estabelecer, mas com o tempo começaram a perceber o benefício de deixar para trás o estilo de vida *hippie* em prol de viver em cidades bem organizadas e autônomas. Foi quando se lembraram de que tinham incendiado todas elas meio século antes. "Que burrice!", pensaram. Com o tempo, porém, eles reconstruíram essas cidades, e isso possibilitou que decretassem guerras. Embora temessem, eles acabaram por desenvolver uma cultura. No entanto esse povo logo mostrou que não era muito competente nessa área, e o resultado foi uma sociedade que provavelmente ficará registrada na história como uma das piores já criadas. Ela era conhecida como o sistema de castas.

"Os indo-europeus eram um povo nômade e não gostavam de se fixar em um único lugar, para não desenvolver uma cultura."

O sistema de castas era como o sistema de classes na Grã-Bretanha, só que com barbas muito mais cerradas. No topo da pirâmide estavam os brâmanes – eruditos e sacerdotes cujo principal objetivo era tomar o máximo possível de banhos enquanto garantiam que mais ninguém tomasse banho. Em seguida vinham os xátrias, guerreiros que formavam o governo das cidades-estados com a liderança do rajá. Depois vinham os vaixás, artesãos e mercadores das cidades; em seguida, os sudras, camponeses e trabalhadores não proprietários de terras; e finalmente os famosos párias, *Intocáveis*, liderados pelo canastrão Kevin Costner.

O sistema de castas desenvolvia regras detalhadas para a conduta e a alimentação. Membros de castas diferentes não podiam comer juntos ou aceitar comida uns dos outros. Ser tocado por um membro de uma casta inferior era uma vergonha ainda maior – o que resultava em semanas de árdua purificação e banhos. Isso contribuiu para tornar ainda mais populares as brincadeiras de pega-pega nos parquinhos.

## OS INDIANOS REENCARNAM

O sistema de castas associou-se ao hinduísmo, a religião dominante da época. Essa era uma religião engraçada, caracterizada pela crença no *karma* e na reencarnação. Quem vivia uma vida justa e virtuosa acumulava um estoque de bom *karma* – o que permitia que a pessoa renascesse como membro de uma casta mais elevada. Uma pessoa má, por outro lado, poderia cair no sistema de hierarquia e voltar como um pária, um inseto ou até mesmo, em casos extremos, como Margaret Thatcher, a "dama com coração de ferro". Isso precisava ser evitado a todo custo.

Do hinduísmo surgiu outra grande religião do mundo: o budismo. Ela foi a inspiração de um príncipe indiano chamado Sidarta, que tinha se desencantado com a ênfase hindu nos rituais e sacrifícios. Iniciando uma viagem em busca de uma existência mais simples e mais pura, ele se deparou com quatro pessoas – um homem doente, um velho aleijado, um cadáver... e Adolf Hitler – e foi invadido por uma infinita tristeza diante do sofrimento que

REENCARNAÇÃO: UMA PESSOA MÁ PODERIA VOLTAR
COMO UM PÁRIA, UM INSETO OU ATÉ MESMO,
EM CASOS EXTREMOS, COMO MARGARET THATCHER.

a humanidade precisava suportar. Procurando entender a causa desse sofrimento e, portanto, o modo de eliminá-lo, Sidarta se sentou debaixo de uma árvore durante muitos dias em profunda meditação até que, em um momento de imensa descoberta pessoal, uma maçã caiu em sua cabeça. Isso fez com que Sidarta se levantasse, e assim os seus ensinamentos se espalharam.

## China antiga

Há certa dúvida a respeito de quando a primeira civilização chinesa foi fundada. Os registros arqueológicos indicam que existia uma cultura avançada já em 4000 a.C., mas não há nenhuma informação disponível sobre quem eram as pessoas ou o que exatamente elas faziam. Em 2000 a.C., contudo, havia definitivamente uma próspera civilização, governada por uma longa dinastia de reis. Durante esse período, os chineses fizeram importantes avanços no trabalho com bronze, na cerâmica, astronomia, medicina, acupuntura, caligrafia, escravidão, tortura e na arte de enterrar pessoas vivas. Eles também inventaram uma sopa feita com testículos de touro. E ainda desenvolveram um forte sentimento da sua superioridade – baseados principalmente no fato de que eram superiores a todas as outras pessoas – e orgulhosamente chamaram o seu país de "o Império do Meio" (que não deve ser confundido com "a Terra Média" de J.R.R. Tolkien).

Cada rei permanecia no poder enquanto desfrutava o favor dos deuses; o rei era conhecido na China como possuidor do Mandato do Céu. Se as safras fossem boas e as guerras, bem-sucedidas, o rei podia governar com o apoio de todos; caso contrário, ele poderia enfrentar uma rebelião ou a deposição. Nas circunstâncias mais graves, poderia até mesmo ser forçado a tomar a sopa de testículos.

Por volta de 1122 a.C., a dinastia governante Shang negligentemente perdeu o seu Mandato do Céu, provocando uma rebelião bem-sucedida do clã Zhou. A dinastia Zhou reinou nos oitocentos anos seguintes, uma façanha que lhes garantiu a visita de um repre-

sentante do *Guinness World Records*, que eles rapidamente enterraram vivo – depois que ele tomou a sopa, é claro.

Com o tempo, porém, eles perderam o seu Mandato, o que causou um longo período de desordem e caos no qual vários clãs brigaram entre si pela predominância. Esses anos foram chamados de Período dos Estados Beligerantes, e ele mergulhou o infeliz povo da China em 150 anos de uma filosofia quase constante. Confúcio foi o principal culpado, com as suas excêntricas ideias sobre um governo honesto e meritocrático, e o respeito pelos idosos. Ele viveu de 551 a 478 a.C. – um período em que passou principalmente cultivando um bigode imensamente longo para que as pessoas o levassem a sério. Isso funcionou, e as suas ideias se espalharam amplamente pelo país, embora não o bastante a ponto de fazê-lo chegar ao governo.

## O fim das primeiras civilizações

As sábias ideias de Confúcio propiciaram um fim edificante à era das Primeiras Civilizações. Foi um período no qual o *Homo sapiens* havia progredido, com os membros dessa espécie deixando de ser agricultores primitivos da Idade da Pedra que viviam à mercê da natureza para se tornarem sofisticados governantes e construtores de cidades que viviam à mercê uns dos outros. As coisas nem sempre tinham sido boas para os povos da Antiguidade, mas muito mais ainda viria dos homens sábios. A Terra estava prestes a passar para a era das Civilizações Clássicas, e os estudantes do ensino médio de toda parte logo teriam de começar a aprender grego.

# 3

# CIVILIZAÇÕES CLÁSSICAS

## (300 a.C. - 620 d.C.)

### Introdução

Em 300 a.C., as civilizações se tornaram clássicas. Ninguém sabe exatamente como isso aconteceu ou o que realmente significava, mas a maioria das pessoas concordou que era uma coisa bem interessante. Soava melhor do que ser uma civilização "primitiva" ou "antiga", e embora fosse acompanhada por certos inconvenientes, como luta livre sem roupa, as pessoas olhavam para trás e a via como uma Era de Ouro para a humanidade. Isso, é claro, porque elas tinham se esquecido de como ela era realmente. As quatro civilizações clássicas que merecem ser examinadas são a da Grécia, de Roma, da China e da Índia, todas as quais criaram grandes impérios para que os povos bárbaros incivilizados pudessem participar da sua sofisticação clássica trabalhando sem ganhar dinheiro e sendo chicoteados até a morte.

# PARTE 1

# OS GREGOS
# 3000-30 a.C.

## A Guerra de Troia e outras fantasias gregas

Os antigos gregos eram famosos principalmente pela sua habilidade de criar minotauros, coléricos animais míticos que viviam em labirintos. Muitos arqueólogos duvidam da existência dos minotauros, apesar das numerosas tentativas desses seres de se acasalar com as vacas. No entanto foram encontradas ruínas de um labirinto na ilha de Creta, que é onde o mais célebre minotauro supostamente viveu (aquele que Teseu perseguiu e matou). O minotauro compartilhava a sua toca com um povo conhecido como "os minoicos", a mais antiga civilização grega conhecida.

Os minoicos acabaram sendo aniquilados em 1420 a.C. pelos micênicos, habitantes da Grécia continental. Apesar de terem destruído a civilização dos minoicos, os micênicos levaram muitos costumes minoicos para o continente, entre eles, o gosto por ridículos mitos inventados, o que foi a principal causa da Guerra de Troia.

Eis o que sabemos a respeito da Guerra de Troia. Havia uma cidade chamada Micenas que, em determinada ocasião, era governada por um rei chamado Agamenon. Havia também uma cidade que talvez tenha sido Troia, destruída por volta da época que a história de Homero indica, algo em torno de 1250 a.C. Existem algumas evidências de que ela estava em estado de sítio na época da sua destruição, mas também é possível que a cidade tenha sido

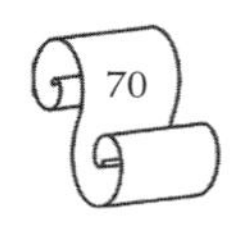


destruída por um terremoto. A história a respeito de um príncipe troiano que rouba a esposa de outro homem e depois debilmente oferece a sua rendição antes que um tiro tenha sido disparado tem sido amplamente desacreditada devido ao fato de os troianos não serem franceses.* Não existe absolutamente nenhuma indicação que respalde a história de que um grupo de gregos traiçoeiros tenha se escondido dentro de um cavalo de madeira para passar pelos muros de Troia porque, com toda a franqueza, Páris teria alegremente deixado a porta aberta para eles. (Desculpe, mas não resisti a uma boa piada sarcástica de ingleses contra franceses!)

## A ascensão dos gregos

A pilhagem mítica de Troia foi acompanhada por uma grande festa, na qual, como de costume, os gregos encheram a cara com bebidas típicas, como *ouzo* e *retsina*, e destruíram toda a louça. Misteriosos invasores do Mar Negro chamados de "Povos do Mar" se aproveitaram da situação e apagaram as luzes gregas. Isso conduziu a uma Idade das Trevas. Quando os gregos finalmente acenderam tudo de novo, por volta de 800 a.C., descobriram que não apenas a sua louça estava em péssimas condições, mas também que as suas cidades haviam desmoronado. Coçando a cabeça, os arrependidos gregos iniciaram a reconstrução. A palavra grega para o novo estilo de cidade era *polis*, e durante um longo tempo eles só puderam ter uma, já que ninguém conseguia descobrir qual era o plural da palavra. Quando descobriram, contudo, surgiram duas cidades principais – Atenas e Esparta –, que passavam um terço do tempo guerreando contra os persas, um terço do tempo lutando uma com a outra e o resto do tempo brigando consigo mesmas. Ao longo do tempo, as duas cidades desenvolveram democracias, que têm origem nas palavras gregas *kratos*, que significa "governar por", e

* O fato de o nome do príncipe ser Páris, no entanto, foi incrivelmente presciente.

*demos*, que significa povo, ou, "totais idiotas que se deixam governar por pessoas ainda mais cretinas chamadas políticos". Isso ainda propiciou a inspiração para o sistema político moderno mais aceito nos dias de hoje, a democracia, ou, governo do povo. (HAHAHAHAHA.) Essa palavra também pode significar "governo do demônio". (Piadinha infame.)

A PILHAGEM DE TROIA DEPOIS DA FESTA:
OS GREGOS ENCHERAM A CARA COM *OUZO* E
DESTRUÍRAM TODA A LOUÇA.

## OS ESPARTANOS

Esparta foi uma das poucas cidades gregas que não espalharam a sua cultura por meio da colonização, um fato pelo qual os gregos são gratos até hoje. Os espartanos, na verdade, não tinham permissão para deixar a cidade caso topassem com pessoas que estivessem sorrindo, uma expressão facial que eles não entendiam. Sorrir, rir e se divertir de um modo geral não eram permitidos em Esparta, já que atrapalhavam atividades mais importantes, como lutar, fazer caretas de desaprovação e subir e descer escadas correndo.

A vida era bastante simples para os cidadãos de Esparta. Quando as crianças completavam 7 anos de idade, precisavam escolher o que queriam fazer durante o resto da vida: podiam se tornar soldados e se dedicar à defesa do Estado ou podiam se tornar mulheres. Aqueles que decidiam ser soldados eram levados para um quartel, onde passavam os vinte anos seguintes aprendendo com os melhores instrutores da nação, que tinham obviamente feito a escolha errada. A vida militar era dura. As autoridades espartanas estavam ávidas para que os seus soldados se tornassem extremamente fortes e acreditavam que a melhor maneira de fazer isso era lhes negando roupas, sono, mulheres e lençóis. É desnecessário dizer que a homossexualidade era desenfreada. As meninas suportavam uma criação igualmente rigorosa, já que eram preparadas para ser esposas e mães perfeitas por meio de um condicionamento físico excepcional. As crianças que pareciam incapazes de se tornar esposas perfeitas ou soldados perfeitos eram mortas quando bebês. Poucas choravam por causa disso.

Aos 30 anos, os homens espartanos se tornavam cidadãos plenos do Estado, o que lhes permitia participar do processo eleitoral. Nesse meio-tempo, as suas esposas dirigiam a unidade familiar, criando os filhos e disciplinando os criados. Os criados espartanos se encontravam em uma situação ainda pior do que a dos seus empregadores. Eles vinham das classes dos "hilotas", servos de uma casta inferior que não podiam se tornar cidadãos do Estado. Eles formavam a maior parte da população, enquanto os cidadãos espartanos trabalhavam arduamente para controlá-los. Estes tinham tanto medo de um levante dos hilotas que, uma vez por ano, o Estado declarava formalmente guerra contra eles, permitindo que todos os desordeiros fossem sumariamente mortos. Essa era a única ocasião em que os espartanos se permitiam sorrir.

"Quando as crianças completavam 7 anos de idade, precisavam escolher o que queriam fazer durante o resto da vida: podiam se tornar soldados e se dedicar à defesa do Estado, ou podiam se tornar mulheres."

Além de travarem guerra contra os próprios criados, os espartanos também gostavam de lutar com outros povos, particularmente com os persas, no reinado do Rei Xerxes, os quais, durante dez anos a partir de 490 a.C., estavam constantemente tentando assumir o controle das cidades gregas. O mais famoso episódio de guerra no lado espartano foi a história dos 300 de Esparta, que enfrentaram todo o poder do exército persa no desfiladeiro das Termópilas e, por estarem em uma tremenda inferioridade numérica, foram todos massacrados.

## OS ATENIENSES

A grande cidade de Atenas desenvolveu uma cultura bastante diferente, e, para sorte do resto da Grécia, foi o modelo que a maioria das *poleis* (isso mesmo, esse é o plural) escolheu seguir. Se os espartanos eram o George Foreman da Grécia antiga – fortes, silenciosos e estoicos –, os atenienses eram o Muhammad Ali. Enquanto os espartanos ameaçavam com os punhos, os atenienses boxeavam com as palavras.

Isso se refletia na sua democracia. Na versão espartana, os cidadãos podiam votar, mas não confabular; e a cidade se mantinha unida pela força. Em Atenas, as pessoas não faziam nada além de conversar e, às vezes, décadas se passavam sem que uma decisão fosse tomada. No lado positivo, contudo, eles inventaram a prática do ostracismo, por meio da qual, todos os anos, as pessoas podiam votar na figura pública que mais gostariam de ver expulsa da cidade. Se o número de votos fosse suficiente, o pobre infeliz era enviado para o exílio, sem poder voltar durante pelo menos dez anos. Dizia-se que, por causa desse sofisticado sistema, Atenas não teve de suportar um único musical de Andrew Lloyd Webber por mais de oitocentos anos. Nem mesmo *O Fantasma da Ópera*, seu clássico absoluto.

A paz e a tranquilidade resultantes possibilitaram que os atenienses se ocupassem muito da cultura. Eles escreveram peças teatrais, que ou eram tragédias (nas quais todo mundo morria) ou comédias (nas quais todo mundo morria, mas de uma maneira relativamente divertida). Eles também tinham filósofos que jogavam futebol, como Sócrates, Platão, Zico e Aristóteles.

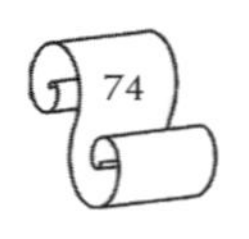


Sócrates ficou famoso ao inventar o Método Socrático, que envolvia questionar o que todo mundo dizia, não importava quanto a declaração fosse óbvia e objetiva. Ele frequentemente tinha conversas assim:

ATENIENSE: **Oi, Sócrates, tive uma noite magnífica! Conheci uma moça incrível na acrópole e fizemos amor a noite toda...**

SÓCRATES: Ah, o que o leva a afirmar que essa criatura era uma moça?

ATENIENSE: **O quê? Bem, quero dizer, ela tinha cabelos longos e...**

SÓCRATES: O camelo tem pelos longos. Será que você não transou com um camelo?

ATENIENSE: **Hã? Não. Era uma moça. O nome dela era Agatha. Ela...**

SÓCRATES: Um camelo pode se chamar Agatha. Será que ela não era então um camelo?

ATENIENSE: **Não! Você pode, por favor, ouvir por um instante? Essa moça era deslumbrante!**

SÓCRATES: Assim como um camelo é deslumbrante quando a pessoa está perdida no deserto?

ATENIENSE: **Ah, desisto!**

SÓCRATES: Seu sedutor de camelos de uma figa!

Com o tempo, quando não conseguiram mais suportar isso, os atenienses mataram Sócrates. O seu discípulo Platão, contudo, continuou vivo, registrando as ideias do mestre na forma de longos diálogos – os quais ele pode ter tido consigo mesmo. Aristóteles, por sua vez, era um cientista na tradição moderna, que empregava a observação e a lógica para tirar conclusões a respeito do mundo natural – as quais, quase invariavelmente, se revelavam sem fundamento. Mas isso gerava diálogos, imaginários ou não, que Platão registrou em uma obra vasta que influenciou toda a filosofia moderna desde então.

Finalmente, houve matemáticos como Pitágoras, que inventou os triângulos com ângulos retos, e médicos como Hipócrates, que, ao contrário do que pode parecer, não foi a origem da palavra

"hipócrita". O Juramento Hipocrático incluía uma famosa proibição ao suicídio assistido, um problema comum na Grécia antiga por causa da duração das suas peças teatrais.

Quando não estavam ocupados escrevendo elegias ou praticando a eutanásia, os atenienses também travavam guerras com os persas. O seu maior momento aconteceu quando derrotaram o exército persa em Maratona, uma planície situada a aproximadamente 42 quilômetros de Atenas. O exército vitorioso mandou um mensageiro chamado Fidípides para dar a boa notícia, uma missão que ele executou admiravelmente antes de morrer em seguida de exaustão. Como essa foi uma morte extremamente inútil e desnecessária, os atenienses decidiram torná-la um acontecimento regular. (Daí o nome da corrida que é praticada até hoje.)

## Alexandre, o Grande

A Macedônia era uma região indefinível e bárbara localizada ao norte da Grécia – exatamente como é hoje. Os sofisticados gregos nunca se deram ao trabalho de prestar atenção aos eventos que ocorriam no pequeno e esquálido país vizinho, até o momento em que olharam pela janela certa manhã e se depararam com 100 mil soldados de infantaria macedônios. "Epa", disseram os gregos, fechando rapidamente as cortinas.

Quando voltaram a abri-las, eles descobriram que os macedônios estavam agora sendo liderados por um novo rei, que era chamado pelo nome um tanto sinistro de Alexandre, o Grande. Alexandre começou a reinar de uma maneira tipicamente modesta, dando início a uma maciça invasão da Ásia Menor, a atual Turquia, onde ele decidira provar de uma vez por todas que os *imortais persas* não eram tudo isso. Depois de conseguir o seu intento, ele conquistou a Síria e a Palestina, antes de voltar a atenção para o Egito. Alguns meses depois, dominou a Assíria e a Babilônia. Em seguida, avançou pelo Afeganistão, pelo Paquistão, até chegar à Índia, antes de se permitir, em uma medida pouco ortodoxa,

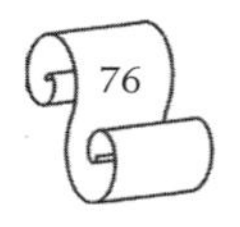


morrer de tifo. Ele levou doze anos fazendo tudo isso, e tinha 33 anos de idade ao falecer.

O império que ele havia criado era o maior que o mundo antigo já vira. Alexandre, porém, tomara o cuidado de governar honradamente e respeitar os costumes locais, exceto nos lugares que ele incendiava. Ele também construiu cidades, pelo menos setenta delas, embora ninguém pudesse ter plena certeza de que elas não eram na verdade o mesmo lugar, já que todas se chamavam Alexandria. Quando ele morreu, o império se fragmentou. Os selêucidas governaram a Síria, os ptolemaicos administraram o Egito, enquanto os antigônidas deram azar e ficaram com a Macedônia. O período a partir da morte de Alexandre em 323 a.C. tornou-se conhecido como a Era Helenística, enquanto a cultura e a erudição gregas se espalhavam pelo Oriente Médio. Muitas descobertas importantes foram feitas nessa época, até hoje os gregos têm consciência disso.

# PARTE II

# ASCENSÃO E QUEDA DO IMPÉRIO ROMANO 753 a.C. - 476 d.C.

## A fundação de Roma

Todo fã de *Jornada nas Estrelas* sabe que Roma foi fundada em 753 a.C. pelos romulanos e pelos remanos. O que poucas dessas supostas pessoas se dão conta, porém, é que *Jornada nas Estrelas* NÃO É REAL. Roma, na verdade, foi fundada pelos etruscos, o povo predominante no país que hoje conhecemos como Itália. Ela era habitada, contudo, principalmente por latinos, e em 509 a.C. essa jovem raça de antiga linhagem indo-europeia expulsou o último rei etrusco e formou uma república.

Essa república era dominada por ricos patrícios, cujo principal objetivo na vida era oprimir os pobres – conhecidos como plebeus. Eles formavam um sistema político baseado no princípio de que ninguém deveria ter a menor pista de como ele funcionava. Senadores, tribunos, propretores, magistrados, edis, pretores, questores, censores e dementadores vagavam pelas ruas em grandes grupos, às vezes excedendo em número as pessoas que eles governavam por um coeficiente de três para um. Havia também dois cônsules, cada um dos quais, em nome da liberdade, tinha o direito de vetar as ações do outro.*

* Geralmente carregando uma faca escondida.

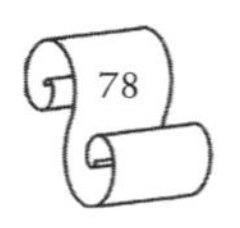


A primeira república romana estava sempre em crise graças ao número de tribos hostis ao redor que estavam preocupadas com a possível propagação dos verbos latinos. Em resposta, os romanos decidiram construir um exército. O exército romano se revelou muito eficiente e logo conseguiu conquistar o resto da Itália. Os romanos governavam o seu novo território com sabedoria, oferecendo a cidadania plena ou parcial aos novos aliados e apenas muito raramente sucumbindo à tentação de crucificar cidades inteiras.

## As Guerras Púnicas

Com a bota italiana debaixo dos pés, em 264 a.C. os romanos se voltaram para a bola de futebol na ponta dela: a Sicília. Infelizmente, isso causou um conflito com Cartago, uma poderosa nação marítima situada nas proximidades da costa norte-africana, o que causou as três Guerras Púnicas. As primeiras batalhas não foram muito justas porque foram travadas no mar e os romanos não tinham barcos. A maioria dos legionários acabou – como os sicilianos gostavam de dizer, tanto na época quanto atualmente – "dormindo com os peixes". No entanto, sem nunca carecer de pessoas inteligentes, os engenhosos romanos logo tiveram a ideia de construir barcos, o que rapidamente os conduziu à glória.

A derrota na primeira Guerra Púnica deixou Cartago fervendo de ressentimento, e não demorou muito para que os cartagineses buscassem vingança – comandados por seu novo líder, Aníbal. O comandante Aníbal compreendeu que a melhor maneira de atacar os romanos não era percorrer de barco a curta distância pelo Mediterrâneo, e sim marchar por entre a Espanha, sobre os Pireneus, ir além do rio Ródano, atravessar o sul da Gália, marchar sobre os Alpes e entrar na Itália pelo norte sobre, por incrível que pareça, elefantes, entre outros animais que faziam parte do exército. Isso pegou todo mundo de surpresa, especialmente os soldados de Aníbal – vários dos quais o faminto general foi forçado a comer ao longo do caminho, acompanhados por uma boa garrafa de

Chianti. Ainda assim, eles chegaram à Itália com 26 mil soldados e tiveram uma retumbante vitória em Canas.*

Os romanos, contudo, ainda não estavam acabados. Eles adotaram a tática do ataque relâmpago contra o exército cartaginês, enquanto também invadiam secretamente a África do Norte – comandados pelo general Cipião. Aníbal teve de correr para casa – por cima dos Alpes, atravessando o sul da Gália, além do Ródano etc. – e chegou bem a tempo de perder a Batalha de Zama. Os romanos impuseram duros termos no tratado de paz, aos quais os cartagineses concordaram pacificamente em obedecer. Esse inesperado ato de deslealdade enfureceu de tal maneira os romanos que eles deflagraram uma terceira guerra em 146 a.C. – na qual arrasaram Cartago, venderam os seus habitantes como escravos e espalharam sal pelo solo para garantir que nada útil jamais aconteceria ali novamente.

## A morte da República

Ao longo dos anos, os romanos expandiram gradualmente o seu império, o que lhes permitiu fazer coisas divertidas como construir estradas, escravizar populações e participar de grandes orgias regadas a muita bebida e uvas frescas. Eles despachavam os escravos para a Itália, onde esses eram obrigados a trabalhar nos campos de ricos proprietários de terras antes de morrerem sem filhos, cheios de dores e na miséria. Isso, contudo, gerou problemas com os camponeses do local, porque, até esse momento, morrer sem filhos, com dor e na miséria tinha sido a prerrogativa deles, e agora eles não tinham mais perspectiva. Todos foram então para Roma, onde conseguiram novos empregos, formando uma turba colérica. O Senado teve a ideia de apaziguar a turba colérica organizando alegres espetáculos sanguinários nos quais escravos inocentes tinham os membros arrancados por animais selvagens e gladiadores eram massacrados aos milhares. Deu certo.

* Por essa você não esperava...

Com o tempo, porém, a turba começou a se cansar de ficar simplesmente assistindo a espetáculos sanguinários e começou a apresentar o seu, geralmente na rua onde ficava o Senado. Os infelizes senadores tiveram de apelar para togados carismáticos como Pompeu, Crasso e Júlio César para resolver a situação. Eles formaram um triunvirato governante dominado por César – um patrício de fala macia com um dom para inventar calendários. Depois de um breve consulado em 60 a.C., César se nomeou governador da Gália, conquistando sem piedade os franceses, mas optando, sabiamente, por não despachá-los para a Itália. Ele até mesmo invadiu a Grã-Bretanha por um breve período, tendo notoriamente declarado diante de um prato de *fish & chips*: *"veni, vidi, vici"*.* Embora fossem oficialmente aliados, os três homens odiavam uns aos outros não muito secretamente, e, quando Crasso faleceu, em 53 a.C., o palco estava preparado para um confronto.

Pompeu atraiu César de volta para Roma com base em falsas acusações relacionadas à preparação de saladas. César obedeceu à ordem, mas levou junto o seu exército como um acompanhamento. Tendo atravessado fatidicamente o rio Rubicão no norte da Itália, ele marchou em direção a Roma, derrotando antes o seu rival em Farsala e obrigando-o a fugir para o Egito, onde ele foi imediatamente assassinado pelo irmão/marido de Cleópatra, Ptolomeu. Isso deixou César muito aborrecido, pois, se havia a necessidade de algum assassinato, ele mesmo queria cometê-lo. Ele foi para o Egito com o objetivo de punir Ptolomeu, colocando Cleópatra no trono e, numa astuciosa medida adicional, fazendo sexo com ela. Em seguida, ele fez uma turnê pelo império, caçando os amigos de Pompeu onde quer que pudesse encontrá-los, antes de finalmente regressar a Roma em 44 a.C. como um incontestável campeão mundial de pesos-pesados. Nomeando-se ditador por toda a vida, ele começou então a realizar reformas sociais muito necessárias, deixando de perceber que era quase 15 de março

* "Vim, experimentei a comida e parti".

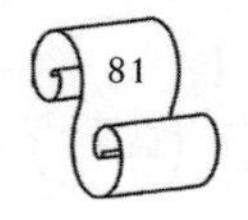


(advertido para "Tomar Cuidado com os Idos de Março",* César, como a maioria das pessoas naquela época e agora, não tinha a menor ideia do que isso significava), o dia em que Brutus e Cássio tinham planejado assassiná-lo. *"Et tu, Brutus?"* – exclamou ele enquanto as facas penetravam o seu corpo, esquecendo-se nesse momento extremamente crítico de que deveria ter declinado Brutus no vocativo.

Depois da morte de César, Brutus e Cássio tentaram tomar o poder, mas não contavam com os confiáveis lugares-tenentes de César – Otávio e Marco Antônio. Esses derrotaram os conspiradores em Philippi, antes de se voltarem um contra o outro. Otávio controlou o Ocidente, enquanto Marco Antônio fez uma aliança – em todos os sentidos da palavra – com Cleópatra. Com o tempo, Otávio venceu o confronto em Actium e se apossou do império. Corria o ano de 31 a.C., e a República estava extinta.

## Os primeiros imperadores

Otávio arquitetou um plano astucioso para garantir seu domínio no poder: propôs desistir dele. O Senado, temendo outra guerra civil, rejeitou a proposta e lhe conferiu o título de Augustus, que significa "Augusto". Isso era para distingui-lo de Julho, um mês que Júlio César tinha inventado. Augustus governou durante cinquenta anos, um feito impressionante, considerando-se que a expectativa média de vida da maioria dos imperadores posteriores era de cerca de três minutos e meio (o tempo que levava para o sangue escoar). Ele foi um grande governante, reformando a administração do império, fortalecendo as suas fronteiras, construindo muitas estradas retas, aprimorando o exército, embelezando a capital, incrementando a religião, incentivando a cultura, melhorando a condição das pessoas, refreando o excesso de vícios,

* Nome do 15º dia de março do calendário romano. Referência a uma frase da peça *Julius Caesar,* de Shakespeare. (N. dos T.)

trazendo a paz para o mundo, salvando crianças de prédios em chamas e transformando água em vinho.* No final do seu reinado, Roma tinha um império que se estendia da Europa Ocidental até o Oriente Médio, incluindo a indisciplinada província da Judeia, onde um certo jovem filho de carpinteiro chamado Jesus estava chegando à puberdade. Augustus teve até mesmo a precaução de escolher um sucessor para que a guerra civil não irrompesse assim que ele morresse. Ele estava confiante de que o sistema que ele instituíra seria firme o bastante para manter o império forte, mesmo no improvável evento de que Roma fosse governada por uma sucessão de idiotas loucos e sádicos.

"Otávio arquitetou um plano astucioso para garantir seu domínio no poder: propôs desistir dele. O Senado, temendo outra guerra civil, rejeitou a proposta."

Depois da morte de Augustus em 14 d.C., Roma foi governada por uma sucessão de idiotas loucos e sádicos. O primeiro deles foi o imperador Calígula – esse não era o seu verdadeiro nome, mas um afetuoso apelido que ele recebeu quando era criança, que significa "botinhas". No seu breve, porém espetacular reinado de quatro anos, Caio Júlio César Augusto Germânico (esse era o nome do safado), fez sexo com as suas três irmãs, nomeou o seu cavalo senador, tornou crime capital olhar para a sua careca, arrastou espectadores até a arena para enfrentar leões e transou com a esposa de cada homem rico em Roma. Ele foi assassinado em 41 d.C. pelo seu próprio guarda-costas.

Ele foi seguido por Cláudio I (mais conhecido como Derek Jacobi), um homem baixo, ligeiramente deformado, que espumava pela boca quando ficava zangado, mas que, de algum modo, conseguiu conquistar o resto da Ilha da Bretanha, talvez por ser o único a se interessar por isso. Ele foi envenenado pela esposa em 54 d.C. Em seguida, veio o melhor de todos – o filho adotivo e sucessor de Cláudio: Nero. O pai de Nero certa vez atropelou uma criancinha com sua Ferrari na Via Apia só para se divertir, e o seu

* Sim, mas, além disso, o que mais os romanos fizeram?

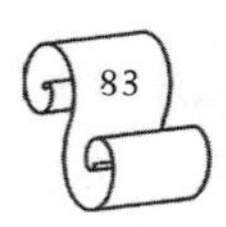

CALÍGULA NOMEOU O SEU CAVALO SENADOR.

pequeno herói estava determinado a deixar papai orgulhoso. Nero gostava de passar as horas do dia assassinando a mãe, chutando a esposa até matá-la e executando publicamente os seus amigos quando ficava entediado com uma vida sem propósito, e vivia permanentemente frustrado porque era escuro demais durante a noite para que ele fizesse essas coisas. Pelo menos até que, com a típica inventividade romana, ele teve a ideia de queimar cristãos no seu quintal para iluminar o ambiente. Como se isso não fosse engenhoso o bastante, esse rapaz de múltiplos talentos também adorava cantar e recitar poesias, especialmente as próprias. Ele competia em concursos que eram gratuitos e abertos para todos os poetas ambiciosos que não se importavam em morrer pela sua arte. Roma foi incendiada em 64 d.C., ato pelo qual os cidadãos culparam Nero, e este imediatamente culpou os cristãos. Seguiram-se jogos públicos, e todos logo se deram conta de que os cristãos deviam realmente ter sido responsáveis pelo incêndio, já que eram eles que estavam sendo comidos pelos leões. Quatro anos depois, no entanto, Nero morreu, apunhalou a si próprio na garganta depois de ter sido derrotado praticamente por todo mundo.

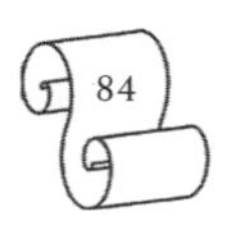


## Declínio e queda do Império Romano

Apesar da loucura sistemática dos seus imperadores, no final do século I, o sistema imperial estava definitivamente estabelecido de maneira satisfatória, com os sonhos de uma república deixados para trás. Essa parecia ser a única maneira de organizar um império quase incontrolável. Depois disso, foi uma dádiva extraordinária que a morte do Imperador Domiciano em 96 d.C. introduzisse uma era não apenas de um, mas de cinco líderes sensatos e lúcidos, consecutivamente. Foi uma onda de sorte nunca vista na Itália – nem antes nem depois.

Homens como Trajano e Marco Aurélio, e projetos de construção como a Muralha de Adriano, propiciaram ordem e prosperidade ao império, bem como menos escoceses. Cidades, estradas, templos, aquedutos, pontes, túneis, banhos públicos e grandiosos monumentos brotaram em toda a Europa; muitos dos quais ainda existem hoje em dia.

O Império Romano, por outro lado, visivelmente não existe mais.

Embora o Império Romano tenha levado um longo tempo para se desintegrar completamente, desde cedo houve sinais de advertência: nuvens avultantes de invasores germânicos, névoas frias de desaceleração econômica, trovoadas de instabilidade política. Depois da morte de Marco Aurélio, em 192 d.C., ninguém conseguiu decidir quem deveria ser o imperador, e Roma declinou em períodos de instabilidade e guerra civil. Havia um número tão grande de novos imperadores movidos por diferentes grupos de interesses que às vezes três ou quatro se viam servindo ao mesmo tempo. Enquanto isso, a economia desmoronou rapidamente e o valor da lira despencou com relação ao Deutschmark.

No final, a única solução foi dividir o império em dois, para que pelo menos dois dos imperadores pudessem encontrar um trabalho responsável. Essa medida, contudo, serviu apenas para retardar o inevitável. Quando os visigodos derrotaram as legiões romanas em Adrianópolis, na Turquia, em 378, o terreno estava

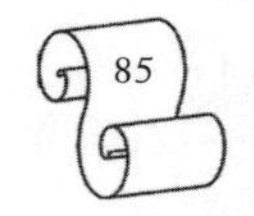


preparado para o colapso do império. Alarico, rei dos visigodos, conduziu o seu exército à Itália, saqueando Roma em 410. Nesse meio-tempo, os hunos, comandados por seu "amistoso e bem--humorado" líder Átila, um "verdadeiro cavalheiro", invadiram a Gália. Mais tribos, como os vândalos (o nome verdadeiro desse povo malcriado era *wandeln*, um povo germânico procedente da Escandinávia. *Vandali* era como os romanos os chamavam), saquearam e picharam tudo no caminho em direção à capital, destruindo obras de arte que se perderam para sempre, enquanto o Senado emitia um último e desesperançado decreto para os seus cidadãos: "Vocês estão por conta própria". Em 476 d.C., o último imperador ocidental, de forma comovente chamado Rômulo, foi arrancado do trono, e Odoacro, o bárbaro, assumiu o seu lugar.

## Ascensão e ascensão do cristianismo

À medida que o Império Romano lentamente declinava, a curiosa seita religiosa do cristianismo continuava a crescer. Tendo começado um pouco como brincadeira, quando Jesus, um homem muito brincalhão, decidiu ordenar às pessoas ricas que dessem todos os seus bens para os pobres apenas para ver como elas reagiriam,* o cristianismo se espalhou rapidamente da Palestina para o resto do território romano. Isso aconteceu em grande medida graças aos predecessores dos carismáticos pastores dos programas de televisão, como São Paulo de Tarso, ou Saul, ou zelote para os íntimos, que após uma revelação espiritual numa estrada para a cidade de Damasco se tornou o principal propagador da nova fé. Ele usou o seu *status* de cidadão romano para transmitir as boas notícias por todo o império. Paulo escreveu longas epístolas para as inúmeras igrejas incipientes que ele ajudou a fundar, explicando os ensinamentos de Jesus de uma forma organizada e compreensível. A sua última mensagem, enviada pouco antes da sua morte em 64 d.C., tornou-se lendária:

* Pelo que se viu, não reagiram muito bem.

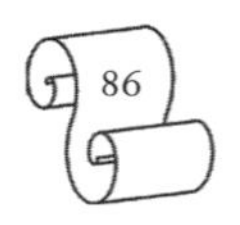


**@Coríntios** Big J. diz "ama o teu próximo como a ti mesmo". Em Roma, agora. Grande espetáculo no Coliseu amanhã. Fui convidado!

Apesar da extemporânea execução de Paulo nas mãos de Nero, o cristianismo continuou a reunir seguidores, com a sua excêntrica marca de igualdade diante de Deus e a vida eterna agradando aos cidadãos do império pobres e explorados. Em 313, a religião ganhou um gigantesco impulso quando o imperador Constantino, cuja própria mãe era cristã, finalmente legalizou a religião. Logo depois, havia bispos (ou "*papas*") em todas as cidades importantes, e um desses – o *papa* de Roma – assumiu, com o tempo, a autoridade por toda a Igreja. À medida que os missionários começaram a partir para todos os cantos do planeta, não demorou muito para que os cristãos se encontrassem na posição de começar, eles próprios, a perseguir pessoas.

# PARTE III

# CHINA CLÁSSICA E ÍNDIA IRRESISTÍVEL
# 256 a.C. - 618 d.C.

## Os chineses clássicos

### OS CHINESES CONSTROEM UM MURO

Era uma vez, no século III a.C., um menino chamado Qin Shi Huang, conhecido também como Chin, o Impiedoso. O pequeno Chin era o governante e rei adolescente de uma grande província no centro da China, mas, na realidade, ele só queria ser como todos os outros meninos da escola. No entanto, por mais que tentasse, ele simplesmente não conseguia se encaixar no grupo. Os seus amigos se perguntavam se isso teria alguma coisa a ver com o seu *hobby*, que era massacrar os habitantes de grandes cidades-estados. Sempre que eles tentavam falar com ele a respeito do assunto, Chin invariavelmente perdia o controle e acabava cortando-os em pedacinhos com um machado. Isso o deixou simplesmente sem amigos – ou com muitos, dependendo da maneira como você encarasse a situação. Por sorte, a essa altura, ele era o governante supremo de toda a China, e tornou-se o primeiro imperador de uma China unificada, entre os anos 221 a.C. a 210 a.C., com um império que se estendia do Deserto de Gobi, na Ásia Central, ao Mar da China Meridional.

O pequeno Chin não desperdiçou o seu poder recém-adquirido; ele se dedicou a criar um enorme exército de terracota que

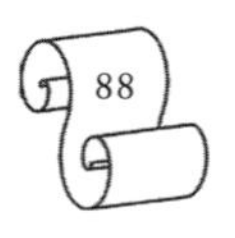


poderia ser enterrado com ele quando morresse. Como ele era paranoico, violento, cruel e sádico, tinha medo de ser atacado mesmo após a morte, por isso ordenou que um mausoléu de quase cinco quilômetros de largura fosse construído. Mais de 700 mil pessoas trabalharam nessa construção, mas muitos morreram durante o processo. Chin também era obcecado por tornar-se imortal. Quatrocentos e oitenta cientistas e estudiosos foram enterrados vivos por não descobrirem como isso poderia ser possível.

Chin também começou as obras de uma grande muralha que atravessaria a China para manter afastados os bárbaros da Mongólia, decidindo chamá-la, depois de alguma deliberação, de "a Grande Muralha da China". Construída a partir de muros e outras fortificações de reinos anteriores, a Grande Muralha só foi terminada durante as dinastias Han (por volta de 205 a.C.) e Ming, durante o século XV, quando ela chegou a ter mais de 20 mil quilômetros.

A construção era tão grandiosa que, em 1972, o astronauta americano Gene Cernan voltou da missão Apollo 17 dizendo que, em órbita, a 320 quilômetros da Terra, tinha visto a Muralha da China. Mas isso foi desmentido em 2003, quando o astronauta chinês Yang Liwei embarcou na espaçonave Shenzhou 5 para dar 14 voltas ao redor do planeta. Lá de cima, ele procurou muito, mas não avistou a muralha. Depois disso, o governo chinês foi obrigado a retirar dos livros escolares a informação do astronauta americano, provando que a história sempre pode ser reescrita, para o bem ou para o mal. De qualquer forma, é claro que esse árduo trabalho de construção não aconteceu sem um grande sacrifício. Por sorte, Chin não se importava com isso, já que a maior parte do sacrifício era dos camponeses. Durante o processo, centenas de milhares de trabalhadores morreram de fome ou foram assassinados. Corria o boato de que cada tijolo do muro custou uma vida humana, o que é caro se considerarmos que hoje em dia a maioria dos construtores só cobraria um braço e uma perna. Isso levou o povo a dar ao imperador o seu conhecido apelido: Chin, o Impiedoso.

## A ascensão dos eunucos

Chin acabou sendo deposto pela dinastia Han, que governou a China durante os quatrocentos anos seguintes. Os Hans formaram o primeiro governo burocrático do mundo, uma organização elegante que, em determinada ocasião, conseguiu empregar mais pessoas do que as que estavam vivas no país. O funcionalismo público era uma meritocracia confucionista que tinha uma prova de seleção justa e aberta que qualquer pessoa de qualquer nível podia fazer, desde que fosse capaz de escrever de forma inteligente a respeito dos clássicos da literatura chinesa – algo a que, naturalmente, somente os mais ricos tinham acesso.

No topo do serviço público estavam os eunucos, cuja principal função, na ausência de coisa melhor para fazer, era conspirar e se intrometer perversamente nos assuntos imperiais. Por serem os únicos homens que tinham permissão para transitar pelo palácio das concubinas do imperador, esses servidores públicos castrados frequentemente se tornavam os conselheiros de maior confiança do governante supremo, tradição que perdura até hoje na maioria das grandes democracias.

Durante a *Pax Sinica* instruída pelos Hans, os chineses foram capazes de realizar muitos avanços na ciência e na tecnologia, como a fabricação do papel, a imprensa, relógios e molho agridoce. Como sempre, contudo, a riqueza estava concentrada em poucas mãos, enquanto as massas de camponeses continuavam famintas, oprimidas ou trabalhavam até morrer em projetos de construção do governo.

Com o tempo, a dinastia Han caiu, provocando três séculos de guerra civil. Foi somente em 589 d.C. que certa ordem foi restabelecida, quando a dinastia Sui expulsou bárbaros invasores e reunificou o norte e o sul da China. No breve período em que reinaram, os membros da dinastia Sui conseguiram construir um grande canal ligando os rios Yang-Tsé e Amarelo. Eles decidiram chamá-lo de Canal Suis, um brilhante jogo de palavras que ninguém iria entender durante quase 1.500 anos. Eles logo foram substituídos pelos *Tang* – que, para começar, não tinham muito senso de humor. E assim terminou a era clássica.

## A Idade de Ouro da Índia

A Índia, por ser um grande país com muito tempo de história, continuou a ter uma sucessão de importantes acontecimentos, culminando no século IV d.C., quando os hindus concluíram um longo tratado sobre sexo tântrico chamado *Kama Sutra*. Isso marcou o início da Idade de Ouro do país – caracterizada pela tolerância religiosa, pelos impostos moderados e por um monte de mentiras na cama.

Os governantes responsáveis por essa transformação pertenciam à dinastia Gupta, uma família de líderes visionários que tinham conseguido unificar os reinos do norte, perpetuamente em guerra, por meio de conquistas e do casamento. Por intermédio da sua sábia governança, a Índia tornou-se uma das nações mais avançadas da Terra. Construíram hospitais, fundaram bibliotecas e criaram universidades para o ensino da filosofia, da arte e da medicina. A mais famosa delas, situada em Nalanda, no Vale do Ganges, atraiu 5 mil alunos de lugares tão distantes como a China e a Coreia. As anuidades eram totalmente pagas pelos Guptas, embora mais tarde no período tenha surgido a proposta de introduzir um sistema de empréstimos baseado no teste de carência de recursos, pelo qual os alunos da graduação deveriam pagar as suas próprias anuidades tomando empréstimos dos Guptas com juros baixos que seriam pagos após um período de cinco anos, quando o diplomado tivesse conseguido um emprego expressivo, desde que o salário anual que recebesse não fosse inferior a 25 mil rupias. Acredita-se, em grande medida, que isso tenha marcado o fim da Idade de Ouro.

É claro que nem tudo eram flores no governo dos Guptas. O sistema de castas ainda era forte e ativo, e o número de diferentes castas estava agora na casa dos milhares. As mulheres também

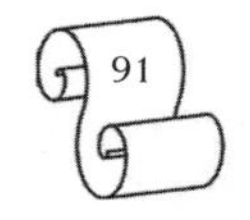


estavam sujeitas a muitas restrições legais. De acordo com a lei guptânica, as esposas deviam venerar os maridos como deuses. A poligamia era comum, assim como a prática de as viúvas se atirarem na pira funerária do marido para se reunir a ele na morte. Essa prática era conhecida como *saté*,* pela qual a infeliz esposa tinha de passar manteiga de amendoim no corpo antes de se juntar ao finado marido.**

Ainda assim, no geral, foi uma época gloriosa para ser um indiano. Os matemáticos indianos dominavam o mundo, inventando a trigonometria, as raízes quadradas e o pi. Os astrônomos indianos descobriram sete planetas, calcularam o diâmetro da Terra e desenvolveram uma teoria da gravidade. Finalmente, escritores indianos produziram o *Panchatantra*, o livro mais traduzido atualmente no mundo depois da *Bíblia*.

---

* Referência ao *saté* ou *satay*, prato indonésio composto de espetinhos de carne servidos com molho de amendoim. (N. do E.)

** E, com o advento do sexo tântrico, muitos maridos começaram a achar que mereciam isso.

# 4

# A IDADE MÉDIA FORA DA EUROPA

## (500-1600 d.C.)

### Introdução

Quando o Império Romano desmoronou, a Europa medieval, nos seus primórdios, acabou num buraco tão fundo que seriam necessários séculos para que ela fosse desenterrada. As coisas regrediram tanto que, num determinado ponto, correram boatos de que os *shorts* de couro estavam novamente na moda, até que as pessoas se deram conta de que aquilo era apenas algo que agradava às tribos germânicas. No Oriente e além, contudo, o mundo estava tão brilhante e saudável quanto sempre fora. Enquanto o Ocidente se esquecia de tudo o que jamais soubera, o Oriente simplesmente continuava a aprender.

PARTE 1

# O IMPÉRIO BIZANTINO E A ASCENSÃO DA RÚSSIA 450-1600 d.C.

## A ascensão dos bizantinos

Uma coisa que o imperador Constantino conhecia era o princípio básico da propriedade imobiliária: um elaborado sistema de segurança residencial. Construída no estreito de Bósforo, Constantinopla era o elo entre a Europa e a Ásia, o paraíso dos mercadores, onde era possível comprar seda da China, especiarias da Índia e esterco de vaca recém-recolhido da Europa Ocidental. O imperador tributava tudo, usando o dinheiro para fortificar a cidade e construir uma poderosa marinha que empregava uma substância secreta chamada fogo grego* para incendiar os navios inimigos. (Até hoje não se conhece muito bem os componentes químicos dessa arma, visto que era uma arma secreta.)

Os bizantinos tinham sobrevivido às invasões germânicas usando uma tática conhecida, no jargão técnico diplomático, como trair os amigos. Isso envolvia ter a seguinte conversa cada vez que os bárbaros chegavam aos seus portões:

* Que hoje se acredita ser uma forma de molho de *kebab* com pimenta.

BIZANTINOS: **Olá, vejo que vocês estão a fim de incendiar uma cidade.**

BÁRBAROS: De fato, estamos muito a fim disso.

BIZANTINOS: **Vocês pensaram em ir a Roma? Ouvi dizer que é uma cidade bastante inflamável.**

BÁRBAROS: OK. Obrigado pela dica!

Por alguma razão, essa tática funcionou, de modo que, enquanto Roma queimava constantemente, Constantinopla ria com maldade silenciosamente. Em 527, porém, o imperador Justiniano subiu ao poder e pensou: não seria legal se, em vez de enganar os bárbaros e convencê-los a incendiar Roma o tempo todo, nós fôssemos até lá e fizéssemos pessoalmente o trabalho para variar? O seu exército concordou, então eles tomaram medidas para iniciar um novo império. Eles pegaram um pedaço do Egito, depois Cartago e depois levaram a Itália, embora ninguém se desse ao trabalho de descobrir para onde. Todos estavam muito satisfeitos, a não ser algumas tribos hostis na região, como os lombardos, os avares, os eslavos, os vândalos, os búlgaros, os ostrogodos, os visigodos, que imediatamente tomaram tudo de volta. Não obstante, foi bom enquanto durou, e Justiniano celebrou o seu sucesso redigindo o Código Justiniano, um romance de enorme sucesso, que ninguém conseguia parar de ler e que ficou no topo da lista de *best-sellers* durante séculos, simplesmente porque era a lei. (Republicado nos dias de hoje com o título *Código Da Vinci*.)

Além do comércio e das conquistas militares, o que realmente impulsionava o império bizantino era a religião – um grande número de religiões. O cristianismo era a preferida. No entanto ele não era do mesmo tipo do cristianismo de Roma por causa de importantes diferenças teológicas relacionadas a ícones. As igrejas deveriam conter pinturas religiosas ou não? E as estátuas e esculturas? Papel de parede? Acessórios descolados de estilo étnico como tapetes persas, mobília hindu, enfeites tailandeses? O Imperador Leão III de Bizâncio era um iconoclasta e achava que as

igrejas não deveriam conter nada disso, enquanto o papa, em Roma, achava que deveriam. A disputa durou um século, até que os bizantinos fizeram uma concessão, permitindo que as pessoas respeitassem os ícones, mas não que os venerassem, o que aparentemente era o que Deus queria a princípio. No entanto o dano em Roma estava feito. O patriarca bizantino foi excomungado, o que era uma dolorosa intervenção antes do uso da anestesia, e em 1054 o cisma estava concluído: a Igreja Católica Romana (língua preferida: latim) no Ocidente; a Igreja Ortodoxa (língua preferida: grego) no Oriente.

## A queda dos bizantinos

O Império Bizantino alcançou o zênite no reinado de Basílio II no início do século XI. Basílio II, um dos tiranos sanguinários da história mais inofensivamente designados, dedicou-se à expansão do império. O seu ato mais notável foi capturar 15 mil soldados búlgaros em combate e cegar 99 em cada 100 deles, deixando o restante caolho para que pudesse conduzir os seus companheiros de volta para casa. No entanto, o plano não funcionou bem para os búlgaros, que se perderam no caminho e deram consigo na Bulgária, de onde estão tentando encontrar uma saída desde então.

Depois do reinado de Basílio, porém, tudo ficou pior para os bizantinos. Na Ásia Central, começaram a surgir turcos muçulmanos e nenhuma quantidade de dissimulação sutil iria salvar Constantinopla dessa vez. Seguiu-se uma série de ataques devastadores, obrigando o imperador a pedir ajuda à Igreja Ocidental.

Por mais aborrecida que a Igreja estivesse com os bizantinos, ela estava muito mais aborrecida com os muçulmanos, e em 1095 tiveram início as "gloriosas" Cruzadas. Os intrépidos cavaleiros com jarreteiras vermelhas lançaram imediatamente um devastador ataque a Constantinopla, derrotando o exército bizantino. "Não, não!", gritavam desesperados os bizantinos em fuga. "Vocês deveriam estar salvando Constantinopla e derrotando o exército turco!"

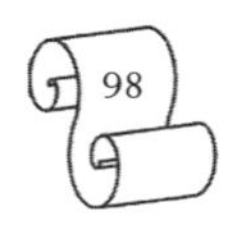


"Epa", disseram os cruzados, e rapidamente trocaram de lado. Porém, na Quarta Cruzada, eles se confundiram de novo e, antes que os bizantinos conseguissem indicar o engano deles, incendiaram completamente Constantinopla. Em seguida, eles capitalizaram o seu erro permanecendo lá por cinquenta anos e formando o seu próprio reino latino, até que os bizantinos, realmente transtornados a essa altura, finalmente voltaram a se impor em 1261. Nada disso ajudou o cisma.

Nesse meio-tempo, os turcos muçulmanos riram tanto de tudo isso que se deixaram conquistar por outros turcos muçulmanos, os quais então atacaram Constantinopla. Esses novos turcos se chamavam turcos otomanos. Em 1453, eles cercaram a cidade e, num ato de cruel traição, usaram canhões para destruí-la. O Império Bizantino desmoronou e os otomanos assumiram o comando.

## A ascensão dos Ivans

A ascensão da Rússia começou com a cidade de Kiev, governada no final do século X por Vladimir, o Grande. Kiev era pagã nessa época, mas Vladimir, o Grande,* teve a ideia de que acreditar no poder dos rios e das árvores era uma bobagem e que, em vez disso, as pessoas deveriam entregar o seu destino a um ser invisível e onisciente que residia em algum lugar do espaço. A questão era a seguinte: que ser invisível ele deveria preferir? Dando uma olhada nos estados vizinhos em busca de inspiração, os seus olhos caíram primeiro sobre o Islã. Ele gostou da ideia de ter o seu próprio harém, até que os muçulmanos lhe disseram que eram proibidos de beber álcool, o que teria sido uma situação impossível para um russo. Em seguida, ele flertou com o judaísmo. No entanto, quando começou a recolher moças judias interessantes para o seu harém, elas estragaram tudo insistindo em levar as mães junto com elas.

* Não deve ser confundido com o posterior "Vladimir", o Empalador, ou com o moderno Vladimir, o Vostok.

No final, ele aceitou o conselho do Império Bizantino vizinho e optou pelo cristianismo, uma escolha mais segura em todos os aspectos. Ele chamou o seu tipo de cristianismo de russo ortodoxo para diferenciá-lo de grego ortodoxo,* e no seu governo Kiev se tornou sagrada e muito próspera, especialmente para a classe dos boiardos, que governava a cidade, embora não tanto para os servos, que de um modo geral apenas trabalhavam a vida toda e depois morriam à míngua.

Lamentavelmente, havia mongóis no caminho e, nossa... como eles estavam de mau humor. Na realidade, talvez eles estivessem de bom humor. Era difícil definir, no caso dos mongóis. De qualquer modo, cuidadosamente organizados em hordas, eles atravessaram as estepes russas em 1237, queimando tesouros, estuprando mulheres e molestando cidades como se não houvesse um amanhã – o que não havia mesmo, se você fosse russo. Por volta de meio-dia, eles tinham conquistado tudo e estavam prestes a continuar em direção à Europa Ocidental quando o seu general, Batu, se deu conta de que estava na hora do almoço – ele gostava de almoçar na Mongólia. No entanto os outros ficaram por ali e fundaram uma capital no Rio Volga.

Os mongóis, contudo, não contavam com a cidade de Moscou, que exatamente naquele momento decidiu começar a crescer. Havia um antigo estatuto em Moscou que determinava que todos os governantes da cidade, independentemente do seu verdadeiro nome, tinham de ser chamados de Ivan. Por conseguinte, não foi nenhuma surpresa que a ascensão de Moscou tenha começado no governo de Ivan I. Com o tempo, quando os mongóis começaram a passar menos tempo governando e mais tempo curtindo a si mesmos em leite de cabra fortificado até morrer, o poder de Moscou cresceu. Em 1462, um novo Ivan, o Terceiro, subiu ao poder e as pessoas imediatamente desconfiaram de que ele seria um grande governante, já que o seu nome era Ivan, o Grande. Em 1480, ele

* E da roleta-russa.

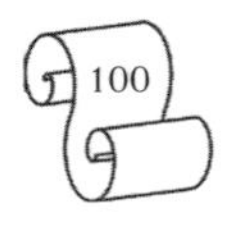


derrotou os mongóis, uniu várias cidades-estados e emergiu como o primeiro governante da Rússia independente.

Ivan IV, o seu neto, o sucedeu, o que fez com que as pessoas ficassem imediatamente de sobreaviso, já que ele logo ficou conhecido por Ivan, o Terrível. Ele era apenas uma criança quando herdou o trono, e foi obrigado a observar indefeso enquanto os boiardos disputavam o poder desesperadamente entre si, assassinando rivais políticos no palácio, torturando sadicamente os seus adversários e executando sanguinariamente qualquer um que se colocasse no seu caminho. Mas acontece que o jovem Ivan gostava de assistir a coisas desse tipo. Quando foi governante, ele expandiu as fronteiras da Rússia, abriu a Sibéria para a colonização, consolidou o comércio com o Ocidente e acabou com o poder dos boiardos. Entre os outros *hobbies* do czar estavam ler livros, ir à missa, caçar veados, empalar agricultores, assar aldeões, torturar nobres, estuprar mulheres, abater idosos, matar o próprio filho e bater a cabeça no chão. Ele definiu os rumos dos governantes russos por séculos a fio. E foi o primeiro governante russo a utilizar a alcunha de czar, ou, imperador.

# PARTE II

# IMPÉRIOS MUÇULMANOS 600-1500 d.C.

## A ascensão do Islã

Por volta de 570 d.C., um menino chamado Maomé nasceu no quente e desolado deserto da Arábia. Cercado por areias ardentes, escorpiões querendo dar ferroadas, lagartos não comestíveis e beduínos hostis, não demorou muito para que Maomé se voltasse para a religião. Na época, os árabes tinham uma religião politeísta baseada na veneração de mais de 300 deuses e pedras, uma das quais – uma grande pedra negra – era guardada em um templo cúbico de quinze metros de altura conhecido como Caaba em Meca, na costa do Mar Vermelho. Maomé, contudo, teve uma visão na qual o arcanjo Gabriel lhe ordenou que pregasse a palavra de Alá, o único deus verdadeiro. Os governantes de Meca imediatamente expulsaram o profeta da cidade, temendo que a sua postura antipedrista intimidasse os turistas. (Na realidade, Maomé não era nem um pouco antipedrista, já que ele acreditava que a pedra havia sido dada de presente a Adão, o primeiro homem, por seu novo Deus, Alá, e que ela era originalmente clara, quase branca, mas tinha ficado negra devido aos pecados da humanidade.) Maomé logo fez uma reaparição triunfante, convertendo a maior parte das tribos beduínas da região e promovendo a nova religião do Islã.

Os entusiásticos convertidos do Islã chegaram à conclusão de que era importante espalhar a boa notícia em outros lugares. Eles podiam fazer isso de duas maneiras. A primeira envolvia enviar

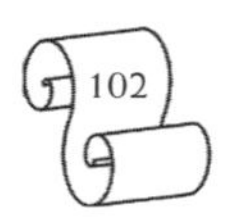


missionários eruditos para conversar com esses povos estrangeiros e pacificamente convencê-los da grande bondade e infinita misericórdia do verdadeiro Deus, Alá. A segunda alternativa era simplesmente invadir as outras regiões com espadas grandes e curvas e conquistá-las. Os árabes escolheram esse último método. Na verdade, eles se revelaram muito habilidosos nisso, e 25 anos depois tomaram a Palestina, a Síria, a Armênia, a Mesopotâmia, a Pérsia, o Egito, a África do Norte e parte da Índia. Cinquenta anos depois, eles derrotaram os visigodos para dominar a Espanha e criaram uma poderosa marinha, transformando assim o Mediterrâneo em um lago muçulmano.

Concentrado ao redor do califado de Bagdá, o Império Muçulmano desencadeou uma idade de ouro no Islã que iria durar mais de quinhentos anos. A única nota dissonante era a feroz divisão entre sunitas e xiitas, que se baseava na impossibilidade de quaisquer pessoas, exceto os xiitas e os sunitas, distingui-los. Os sunitas* acreditavam que os califas deveriam ser escolhidos por consenso, como os líderes tribais tinham sido escolhidos na Arábia. Mas os xiitas,** por outro lado, argumentavam que somente os descendentes do profeta Maomé tinham autoridade espiritual para governar. É claro que hoje não existem califas no Islã, de modo que os sunitas e os xiitas apenas discutem. Apesar desse lastimável cisma, o mundo muçulmano pelo menos estava unido por uma língua comum, o árabe. Isso facilitou a disseminação do conhecimento por todo o império, ajudando os muçulmanos a liderar o mundo no estudo da filosofia, da medicina, da astronomia, da matemática, da navegação e da poligamia.

## O Império Otomano

À medida que o primeiro milênio ia chegando ao fim, a influência árabe no Império Muçulmano declinou, conduzindo a uma

* Ou possivelmente os xiitas.

** Sunitas?

difundida invasão de turcos. Vindos da Ásia Central e convertidos ao islamismo durante esse processo, os turcos decidiram tentar dominar o Oriente Médio. Isso desencadeou as Cruzadas.

Nos duzentos anos seguintes, o Mediterrâneo oriental ficou inundado de árabes, bizantinos, turcos e cruzados, todos assassinando desesperadamente uns aos outros em nome de um deus misericordioso. Não é engraçado? Da sua capital em Constantinopla, os sultões otomanos governavam à moda islâmica, impondo as leis de Maomé à sua população muçulmana, mas permitindo que os cristãos e os judeus vivessem mais ou menos sossegados. Muitos dos seus súditos optaram por não se converter ao islamismo, possivelmente por medo de ter mais de uma esposa. Os otomanos defendiam o seu império com meninos cristãos que eram levados para escolas especiais e treinados para se tornar superguerreiros muçulmanos. Eles eram chamados de janízaros e se tornaram alguns dos melhores soldados religiosamente confusos da Europa.

Esses eram os pontos fortes dos otomanos. O Império Otomano, porém, não teria sido o Império Otomano sem fraquezas significativas, pois sem elas ele não poderia alcançar a sua ambição suprema de se tornar "o homem doente da Europa",* com os concomitantes benefícios do seguro-saúde. As suas principais fraquezas eram as seguintes: (1) os seus antiquados métodos agrícolas; (2) a sua estranha semelhança com o Império Bizantino, que já tinha desmoronado; (3) a sua obsessão pelo banho coletivo masculino; e (4) o seu grande número de deficiências. Embora ainda tenham ficado no poder por um bom tempo, os otomanos iriam declinar ao longo dos séculos, e, com o tempo, nem mesmo o FMI daria importância a eles.

* Expressão atribuída ao czar Nicolau I da Rússia, referindo-se à situação do Império Otomano no século XIX e aplicada, ao longo da história, como alusão à fraqueza e ao declínio de uma economia. (N. do E.)

# PARTE III

# O EXTREMO ORIENTE
# 600-1600 d.C.

## O Império Mogol na Índia

Depois dos vários altos e baixos que se sucederam após a Idade de Ouro dos guptas, os indianos fizerem uma reaparição sob a liderança dos distintos rajputs. Estes acreditavam que eram descendentes do céu, embora o mundo acadêmico moderno aproxime suas origens do Turquestão. Eles eram um povo cavalheiresco que acreditava que o combate era uma forma de arte. Lisura, respeito pelo inimigo, nada de ofender os batedores adversários: esses eram os atributos distintivos dos rajputs. Naturalmente, isso os tornava completamente inúteis na guerra, de modo que, quando verdadeiros inimigos apareceram, em 1200, na forma de turcos muçulmanos, eles rapidamente sucumbiram.

De 1200 a 1400, os turcos reinaram sem oposição, formando uma dinastia conhecida como o Sultanato Delhi. Os delhis não eram as sultanas mais doces da vinha. Embora os muçulmanos tradicionalmente tivessem sido tolerantes com relação aos cristãos e aos judeus, eles não estendiam a mesma cortesia aos hindus. Os hindus acreditavam em muitos deuses; os muçulmanos, apenas em um. Os hindus usavam música nas cerimônias; os muçulmanos não. Os hindus veneravam as vacas; os muçulmanos as comiam. O sultão mais espetacular foi Muhammad Tughluq, que reinou a partir de 1325. Além de assassinar o próprio pai e obrigar uma família de rebeldes a comer o próprio sobrinho, ele ordenou certa

vez a completa evacuação de Delhi, obrigando os seus habitantes a marchar quase mil quilômetros em direção a uma nova capital, a qual – vejam só – ainda não tinha sido construída!

Mais tarde, em 1526, os mongóis decidiram fazer uma invasão. Havia apenas 12 mil deles, e eles se chamavam mogols, versão persa do nome desse povo terrível, em vez de mongóis, mas os indianos não se deixaram enganar e se renderam imediatamente. Os mogols eram liderados por Barbur, o Tigre, assim chamado porque gostava que fizessem cócegas atrás das suas orelhas; e ele governou de uma maneira que chocou até mesmo os resignados habitantes de Delhi. *Ele não matava ninguém*. Para tornar as coisas ainda mais confusas, os seus sucessores agiram da mesma maneira.

Em 1658, os mogols já reinavam havia 130 anos e ninguém na Índia tinha morrido. As religiões eram toleradas, a arte e a cultura estavam sendo incentivadas, o casamento de crianças e o suicídio das viúvas tinham sido declarados ilegais, os impostos eram baixos, a taxa de criminalidade tinha diminuído, a inflação havia sido controlada, o Serviço Nacional de Saúde funcionava bem, o déficit tinha sido reduzido, o Taj Mahal fora construído e a Índia estava praticamente reunificada. E o *curry* era delicioso.

"Os mogols eram liderados por Barbur, o Tigre, assim chamado porque gostava que fizessem cócegas atrás das suas orelhas."

## Os tangs, os songs, os mongs e os mings

A dinastia Tang dominou o Império Chinês durante pelo menos trezentos anos até 906, quando o último imperador foi assassinado por um de seus generais. Seguiram-se cinquenta anos de guerra civil, com governantes indo e vindo como concubinas. Com nada dando certo e as pessoas oprimidas e famintas, o país estava claramente precisando de uma canção.* Por sorte, havia toda uma dinastia de songs nas proximidades. Pegando o microfone em 960, os songs deram continuidade, em grande medida, ao bom trabalho

* Trocadilho, pois *song* em inglês quer dizer "canção". (N. dos T.)

dos tangs, iluminando as ruas, criando corpos de bombeiros, restaurantes, orfanatos, lares para idosos e uma contagem regressiva da parada de sucessos semanal para as suas florescentes cidades.

Eles só não eram competentes em combater as tribos mongóis no norte da fronteira, e a única solução que conseguiram encontrar para o problema foi pagar a eles enormes quantias para que não invadissem o seu território. Isso funcionou bastante bem durante algum tempo, até que, finalmente, os bárbaros fizeram uma descoberta simples, porém crucial: na verdade, não havia nada para comprar na Mongólia. Em 1206, Genghis Khan, fazendo a sua primeira aparição no palco internacional, arremeteu do norte, abriu caminho por entre a Grande Muralha e conquistou a China inteira em questão de segundos. O seu neto Kublai deu continuidade ao bom trabalho, criando uma próspera e bem administrada dinastia em Beijing (ou Pequim, para quem não sabe) que durou até 1382. Europeus como Marco Polo foram visitá-lo, e este voltou para Veneza com histórias fantásticas de papel-moeda e aquecedores a carvão. Apesar disso, os chineses nunca apreciaram realmente os mongóis. Eles acreditavam piamente que esses invasores fediam, embora os khans insistissem em afirmar que o seu povo tomava banho regularmente.* Em 1368, os habitantes locais acabaram se rebelando, sobrepujaram os mongóis fedorentos e os substituíram pelos cheirosos mings.

Com uma grande nação para reunificar, fronteiras setentrionais para proteger e uma classe camponesa descontente para pacificar, os mings começaram a fabricar vasos inestimáveis o mais rápido que puderam. Estava na hora de a China viver à altura do seu nome.** Para fazer isso com eficácia, ela precisava primeiro se livrar de todos os mongóis, os quais tinham a tendência irritante de despedaçar qualquer louça que encontrassem. Em seguida, eles defumaram o palácio. Depois disso, puseram em ordem as suas fronteiras.

* Uma vez a cada quatrocentos ou quinhentos anos.

** *China* em inglês significa "louça, porcelana". (N. dos T.)

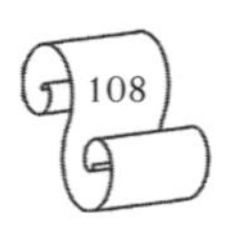


Na verdade, durante dois séculos os misericordiosos mings governaram bem, até que entraram em pânico e compreenderam que estava na hora de deixar o caos reinar no país. Um clã de manchus acabou se aproveitando da situação, derrotando os mings por meio da inclinação superior de seus bigodes. Eles reinaram até 1911, quando os japoneses decidiram lhes fazer uma visita.

## Japão

O Japão, um pequeno país na Ásia Oriental, já desenvolvia na verdade uma história fazia um longo tempo, mas, como ele vivia no seu canto e se mantinha discreto, ninguém havia realmente percebido sua existência. Embora Jimmu seja considerado o primeiro imperador do Japão – 660 a.C. a 585 a.C. –, somente o imperador Sujin, o 10º imperador japonês, que reinou de 97 a.C. a 30 a.C., teve sua existência comprovada e registrada historicamente. Sujin era um sujeito muito afetuoso que, modestamente, dizia descender de Amaterasu, a deusa solar da religião xintoísta e grande mãe do povo japonês. Ele formou uma dinastia que governou o Japão desde então, até 1945, quando os japoneses finalmente compreenderam que o seu imperador não poderia descender de uma deusa solar porque os americanos tinham dito que isso não era verdade. A veneração pelo imperador formava um dos pilares da sociedade japonesa, o outro pilar era o xintoísmo, uma religião que venerava as árvores, as flores, as pedras. Eles copiavam intensamente a cultura da China, mas sempre lhe conferiam um toque japonês exclusivo para que pudessem vendê-la em tamanhos menores e com mais qualidade.

Embora todos achassem que quem governava o país era o imperador, o verdadeiro trabalho era feito por poderosos clãs que passavam o tempo todo guerreando entre si. Eles tinham de fazer isso para que os samurais tivessem o que fazer; caso contrário, esses guerreiros ficavam andando inutilmente, de um lado para o outro, com aquelas longas espadas, sem ter como "matar" o tempo. A tarefa do samurai era morrer pelo seu senhor a qualquer custo. Se ele não conseguisse morrer no campo de batalha, tinha de morrer no seu quintal, cortando a própria barriga, o suicídio ritual conhecido como *seppuku* ou *harakiri*. O senhor não se importava realmente com a escolha que o seu samurai fizesse, desde que ele não vivesse para contar a história. Isso se tornou conhecido como *bushido*, literalmente "o caminho do idiota que pensa que é guerreiro".

Na Idade Média, vários desses clãs lutaram pela supremacia: os tairas, os minamotos, os hondas, os Nintendo Wiis. Em 1192, os minamotos derrotaram os tairas em uma grande batalha e ganharam o Japão como prêmio. Minamoto Yoritomo conferiu a si mesmo o antigo título de xogum.* Os seus guerreiros se envolveram com o zen-budismo porque essa doutrina possibilitava que eles se sentassem em posições desconfortáveis durante longos períodos sem falar. Os seus parentes governaram até 1318, em um determinado momento se livrando de Kublai Khan e dos mongóis por intermédio de um vento divino (ou *kamikaze*), que soprou os seus navios para fora da rota. Depois disso, contudo, houve um longo período de desunião até que um chefe guerreiro chamado Tokugawa Ieyasu unificou o país em 1600. Ele mudou a capital para Tóquio e governou ininterruptamente durante os 250 anos seguintes. Depois de deixar alguns cristãos portugueses entrarem no país como uma espécie de esporte, ele passou o resto do tempo caçando-os e torturando-os cruelmente, antes de finalmente colocar um grande cartaz na costa do Japão com os dizeres "Não há vagas". Em um dia claro, os navios que passam longe da costa às vezes podem ter a sorte de avistar um missionário português pregado nele.

---

* Literalmente, "título antigo que soa legal".

# PARTE IV

# A ÁFRICA E AS AMÉRICAS 300-1600 d.C.

## A história da África

Se fôssemos acreditar nos primeiros historiadores ocidentais, a história da África seria mais ou menos assim:

| | |
|---|---|
| **4,5 bilhões a.C.:** | A Terra se forma. |
| **2 milhões a.C.:** | O homem desce das árvores. |
| **200.000 a.C.:** | O *Homo erectus* descobre o uso do fogo. |
| **1871 d.C.:** | O explorador europeu Livingstone encontra o jornalista Stanley. |
| **1960 d.C.:** | Os africanos começam a governar a si mesmos. |

A verdade, porém, é que a África teve uma longa história entre essas datas, parte dela bastante satisfatória. A prosperidade do continente africano se baseava em grande medida em flanar de um lado para o outro na gigantesca extensão do ardente deserto saariano carregando, por incrível que pareça, sal. Ocasionalmente, isso possibilitava que os africanos formassem ridículas cidades artificiais onde as rotas comerciais se cruzavam, como Timbuktu. Apesar da obstinada recusa da maioria das pessoas em acreditar que ela existia, Timbuktu tornou-se uma próspera cidade na Idade Média e um importante centro de aprendizado muçulmano. Além do ouro e do sal, ela desenvolveu a comercialização de livros como uma importante fonte de renda. O Código Justiniano continuava a ser um campeão de vendas, e havia conversas a respeito de um filme. Timbuktu era a capital de um dos mais poderosos impérios da África Ocidental, o Songhai, que dominou a região até o final do século XVI.

Os songhai foram finalmente derrubados em 1591 pelos marroquinos, que trapacearam usando armas de fogo. Outros reinos, contudo, continuaram a prosperar. Os kanem-bornu extraíam cobre e cavalgavam montados em cavalos com cotas de malha de ferro. Os oba construíram cidades muradas e organizaram o seu exército em legiões. Os yoruba faziam esculturas com ouro e bronze e circulavam gritando "Yoruuuuba! Somos os yoruuuuba!" uns para os outros porque gostavam do som da palavra.

Todos esses grandes reinos seriam, é claro, dizimados pela escravidão nos séculos seguintes, e as pessoas se esqueceriam alegremente de que eles um dia existiram. O que nos conduz de forma prazerosa para:

## As origens da América do Norte

Embora o homem da Idade da Pedra tenha começado a sua lenta migração para fora da África já em 1,5 milhão a.C., ele demorou muito até finalmente fazer uma viagem para a América. "Quero dizer, você já esteve lá?", fofocavam as famílias ao redor da fogueira. "As pessoas são muito amigáveis o tempo todo! É como se uma nação inteira fosse composta por Homers Simpsons." No final, o governo foi obrigado a financiar uma ponte terrestre da Sibéria para o Alasca, oferecendo aos imigrantes novos atrativos pacotes de turismo, seguro gratuito, assistência odontológica e carne de bisão em abundância. Eles conseguiram passar apenas um número suficiente deles para o outro lado antes que a ponte desmoronasse, porque economizaram ilegalmente nos materiais de construção. A única escolha que restou aos infelizes imigrantes foi permanecer lá indefinidamente, já que não houve nenhum transporte de volta até 1492, quando Colombo finalmente redescobriu a América (depois dos sumérios, vikings, chineses e por aí vai).

Lentamente e sem nenhum critério, os colonizadores se dirigiram para o sul. Os mais otimistas ficaram no Alasca na esperança de que a ponte fosse logo consertada. Eles se chamavam esquimós. Os outros se dividiram em equipes: a dos Índios das Grandes Planícies, que caçavam bisões; a dos Índios do Noroeste, que pescavam e fabricavam totens; a dos Índios da Grande Bacia, que capturavam pequenos animais de caça e tentavam conseguir papéis nos filmes de caubói;a dos Índios das Florestas Orientais, que faziam um pouco de tudo; e dos Índios da Costa Leste, que se tornaram principalmente advogados. Eles viviam em habitações diferentes, como tendas feitas de peles, casas ocupadas por várias famílias e as cabanas de índios nômades; e davam a si mesmos nomes cômicos, como Crazy Horse, o famoso Cavalo Louco; Touro Sentado; Pocahontas e Chapeuzinho Vermelho. Curiosamente, apesar das duas mil línguas reconhecidamente faladas pelas diferentes tribos, todos os nomes eram em inglês.

Com exceção dessas informações, pouco se sabe a respeito da história dessas diversas tribos. Algumas eram bélicas, outras, pacíficas; algumas eram nômades, outras, sedentárias; algumas eram lideradas por mulheres, outras, por homens; algumas eram primitivas, outras, sofisticadas. Na realidade, a única coisa que os índios da América do Norte tinham em comum era o fato de nenhum deles ser índio, mas o povo original do continente americano, ou seja, simplesmente nativos.

## As civilizações das Américas

### OS MAIAS

Os maias clássicos se fixaram nas florestas virgens do sul do México, da Guatemala e de Honduras. Por mais de seiscentos anos, até 900 d.C., eles cortaram e queimaram árvores, cultivaram milho e construíram grandiosas pirâmides – como a de El Castillo, com 365 degraus, que também é conhecida como o Templo do Tempo por ser um enorme calendário solar. Às vezes, eles sacrificavam pessoas no topo das pirâmides, para se divertir e não deixar o Sol morrer. Surpreendentemente, faziam tudo isso sem ferramentas de metal, que não eram facilmente encontradas nas lojas de departamentos da América Central – isso levou muitos arqueólogos a supor que o povo maia tivesse mãos em forma de facas (e muito afiadas). Além disso, eles também desenvolveram um sofisticado calendário que lhes dizia exatamente quando ocorreriam os próximos eclipses lunares e solares. Isso era muito importante, porque sem essa informação eles não teriam como saber precisamente quando os eclipses lunares e solares seguintes iriam ocorrer, o que teria sido realmente muito perturbador para os maias.

Depois de 900 d.C., porém, os maias inexplicavelmente abandonaram a sua terra natal e se deslocaram para o norte – e encontraram sem querer o povo tolteca no caminho. Os toltecas, apesar de terem pouquíssima habilidade em prever eclipses solares,

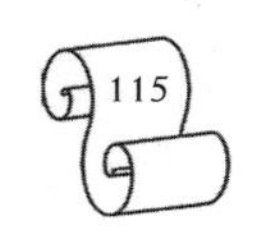


imediatamente exterminaram os maias, deixando a história futura das Américas aberta para os muito mais glamorosos:

## ASTECAS E INCAS

Se havia algo que os astecas e os incas achavam mais irritante do que qualquer outra coisa era a incapacidade das pessoas de se lembrar de quem era um e quem era o outro.

**"Veja bem, é bastante simples", diziam os astecas. "Somos aqueles que foram exterminados em mais ou menos cinco minutos por Cortéz e o seu pequeno bando de conquistadores espanhóis."**

Eu achava que esses eram os incas.
**"Não! Eles foram exterminados mais ou menos em cinco minutos por *Pizarro* e o pequeno bando de conquistadores espanhóis *dele*."**

Ah, isso foi porque os babacas dos incas conseguiram confundir um grupo de marujos espanhóis desnutridos e sujos com deuses, certo?
**"Ah... Não, esses fomos nós!"**

Certo. Então vocês eram os monstros odiosos, sádicos e impiedosos que realizavam sacrifícios humanos arrancando o coração ainda palpitante de dezenas de milhares de homens e mulheres inocentes em um único dia?
**"Agora você está sacando!"**

Na verdade, o sacrifício humano era importante para ambas as culturas, mas, enquanto os incas peruanos geralmente só sacrificavam crianças para Viracocha e seus outros deuses, os astecas mexicanos estavam dispostos a sacrificar qualquer pessoa e qualquer coisa que por acaso estivesse por perto. Eles precisavam fazer isso para apaziguar o seu grande deus Huitzilopochtli, que era um pouco nervoso e também o seu deus da guerra. Eles adoravam muitos deuses que eram reverenciados por outros povos, como Quetzalcoatl. Segundo a lenda, ele vivera certa vez com os astecas,

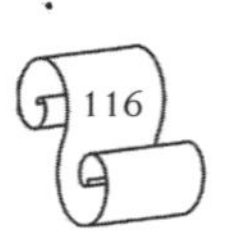


trazendo consigo dádivas que mudariam a sociedade deles para sempre, como o milho, as sementes de cacau e como projetar e construir pirâmides. Quando Cortéz chegou com os seus conquistadores, os astecas naturalmente pensaram que ele era a reencarnação do seu benfeitor, que estava retornando como vaticinara a lenda. Em relação a isso, contudo, eles estavam apenas parcialmente certos, porque, embora Cortéz certamente fosse um pouco nervosinho, as únicas "dádivas" que ele trouxe para os astecas foram doenças venéreas, varíola e escravidão.

Mais para o sul, entre os picos elevados dos Andes, os incas construíram a sua civilização ao redor de minas de ouro, que eles veneravam como as "lágrimas do Sol". A quantidade de ouro descoberta pelos invasores espanhóis foi tanta que surgiu um boato a respeito de uma cidade que teria sido construída inteiramente com o precioso metal. Essa história se tornou conhecida como a lenda do El Dorado – que fascinou muitos aventureiros a partir de então. Embora poucos hoje em dia acreditem que a cidade do El Dorado tenha realmente existido, algumas pessoas na realidade afirmaram tê-la visto na BBC1 em 1992, e disseram que eles tinham inclusive gravado uma novela ali. Essas afirmações, contudo, foram negadas oficialmente pela BBC, e é amplamente divulgado que essas pessoas deviam estar loucas.

Além de serem indiretamente responsáveis por novelas constrangedoras, os incas também construíram redes de estradas, erigiram fortalezas nas montanhas, executaram cirurgias cerebrais, domesticaram lhamas e seguiam um sistema de justiça criminal que prescrevia a pena de morte para absolutamente tudo.* Eles não tinham prisões, já que não havia necessidade delas, e não tinham rodas porque elas ainda não tinham sido inventadas por aquelas bandas. Isso fez com que os incas não aprendessem a dirigir.

* Como ir um pouco longe demais com a domesticação de sua lhama.

Para os espanhóis, o aspecto mais notável da derrocada dos incas foi o fato de ela ter sido alcançada com a ajuda de uma tribo local chamada Wanka, que Pizarro astutamente conquistou para o seu lado com promessas de ingressos para concertos de rock, Ford Fiestas incrementados e intermináveis conversas a respeito de como o seu novo iPhone era incrível. Os wankas ajudaram Pizarro a sequestrar e assassinar o rei inca Atahualpa, o que bastou para arruinar os sensíveis incas.

# 5

# A IDADE MÉDIA NA EUROPA

## (500-1500 d.C.)

### Introdução

Quando pensamos no período medieval, temos a tendência de imaginar aldeias enlameadas e fedorentas, servos miseráveis e oprimidos, masmorras úmidas e tenebrosas, invasores cruéis e saqueadores, e reis insensíveis e medíocres. Esse é um cenário bastante preciso. Apesar do grande esforço dos historiadores que tentam nos dizer que, embora tenham ocorrido incessantes guerras, pestes e inquisições foi, na verdade, uma época de transição na qual o Ocidente começou a avançar em direção à próspera era moderna, vamos nos lembrar da Idade Média pelo que ela foi: úmida, uma bosta e muito, muito longa.

# PARTE 1

# A IDADE DAS TREVAS 500-1000 d.C.

## O sacro Império Romano

### CLÓVIS, O FRANCO (OU É FRANCO, O CLÓVIS?)

Essa era a situação quando houve a queda do Império Romano. As tribos germânicas, compostas principalmente de bárbaros e vândalos, estavam destruindo a Europa Ocidental, devastando as suas cidades, incendiando casas e obrigando todo mundo a cantar músicas de taberna estridentes e realmente irritantes. Dias sombrios, com certeza. Com o tempo, porém, eles encontraram uma terra boa para cultivar e se acomodaram para formar reinos, cuja maioria durava tanto tempo quanto os membros das tribos levavam para montar as suas tendas. Isso acontecia porque as tribos germânicas tinham muito mais competência para destruir os reinos uns dos outros do que para construir os seus, e também preferiam que fosse dessa maneira. Um dos reinos, contudo, se saiu muito bem. Era o de uma tribo do norte da Gália cujos membros chamavam a si mesmos de "os francos".

Os francos tinham um líder chamado Clóvis, que estava um passo além dos outros reis germânicos pelo fato de não possuir nenhuma ética. Isso o tornava perfeito para a Gália, que, afinal de contas, era apenas outro nome para a França. Clóvis se apaixonou por uma mulher cristã, cuja condição para se casar com alguém com um nome tão idiota era que ele se batizasse. Ele fez isso, como mandava o figurino, tornando-se assim um homem de Deus. Os demais francos também se tornaram, misteriosamente, homens de Deus, e o papa em Roma ficou muito feliz porque os francos estavam no controle de toda a Gália.

Infelizmente, o pobre Clóvis morreu em 511, e foi sucedido por uma série do que talvez pudesse ser descrito como "outros francos". Os outros francos, contudo, não estavam muito a fim de seguir a carreira de rei, eles preferiam os prazeres variados da vida na Gália do século VI – como comer esterco e chafurdar na lama. Quem realmente governava eram os principais administradores do palácio, ou "prefeitos". Em 732, um desses prefeitos, Carlos Martel, o Martelo, derrotou invasores muçulmanos na Batalha de Tours, obrigando os mouros a voltar para a Espanha, salvando assim a Europa Ocidental de séculos de avanço e conhecimento tecnológico. Buuuaaaahhhhh! Isso deixou o papa em Roma ainda mais feliz, então ele convidou o prefeito seguinte, Pepino, o Breve, filho de Carlos, para ir à Itália assassinar alguns lombardos que o estavam incomodando. Pepino lhe obedeceu religiosamente e, com rapidez, derrotou os irritantes lombardos.

O papa, agora em êxtase, nomeou Pepino rei dos francos, o que foi um choque para o verdadeiro rei dos francos, que imediatamente se afogou em um brejo. Em troca, Pepino doou a Itália central para o papa, que a partir de então seria conhecida como "os Estados Papais". Foi um momento importante, pois o papa nesse momento brigou pelo direito de coroar e nomear monarcas: uma arma nobre em seu arsenal. Dali em diante, ele resolveu fazer aquilo com a maior frequência possível.

"Clóvis se apaixonou por uma mulher cristã, cuja condição para se casar com alguém com um nome tão idiota era que ele se batizasse."

## CARLOS MAGNO, O SUPERFRANCO

Pepino foi sucedido pelo seu filho, Carlos Magno, que deixou imediatamente clara a sua pretensão de se tornar o mais poderoso líder da Europa por ter uma mãe chamada "Berta Pés Grandes".

Estimulado pelas enormes extremidades da mãe, ele travou sessenta campanhas em trinta anos, derrotando os saxões no norte da Germânia, os lombardos na Itália e os avares na Europa Central.

Sempre que fazia isso, ele incentivava a expansão do cristianismo. O método que ele usava era bastante prático, pois oferecia às pessoas as quais ele dominava uma escolha simples: elas podiam aceitar a salvação por meio do batismo na religião católica ou podiam ir para o céu um pouco antes do que talvez tivessem planejado. O papa em Roma observava cuidadosamente as atividades de Carlos Magno e estava tão feliz a essa altura que corria o grave risco de manchar a sua sotaina. Ele estivera experimentando o seu novo poder de coroação com a maior frequência possível, e, depois de coroar com sucesso o seu gato, o seu cavalo e um jardineiro do palácio chamado Tom, o papa estava ansioso para adicionar Carlos Magno à sua lista. Ele o convidou então para uma missa na Basílica de São Pedro em 25 de dezembro de 800, e, enquanto Carlos Magno estava inocentemente estendendo a mão para a comunhão, o papa deslizou rapidamente uma coroa sobre a sua cabeça, chamando-o de *Imperator Augustus*, ou Imperador dos Romanos.

O primeiro pensamento de Carlos Magno foi "O senhor não está querendo dizer Imperador dos Francos?", porque, a bem da verdade, a maioria dos romanos tinha fugido da cidade séculos antes. No entanto, após refletir com calma, ele percebeu que líder do Sacro Império Romano soava muito melhor, de forma que ele decidiu levar a coisa adiante. Em seguida, de uma maneira bastante inoportuna, ele morreu.

Os seus descendentes começaram rapidamente a destruir o império que o pai tinha construído com tanto esmero. O seu filho Luís, o Piedoso – um apelido que davam aos reis que nunca faziam nada –, começou a deixar as coisas ficarem ruins. Depois, os seus três filhos, seguindo o tradicional costume germânico, se envolveram em uma guerra civil para decidir quem deveria assumir o controle. A situação foi resolvida três anos depois, em 843, com a seguinte solução. Primeiro, eles dividiram o império em três, para

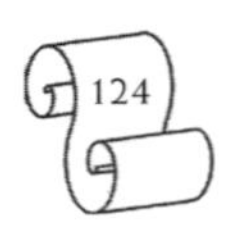


que cada um pudesse ficar com uma parte. Em seguida, dividiram cada uma dessas partes em duas para torná-las mais fáceis de administrar. Depois disso, dividiram essas pequenas partes em mais partes, antes de dividir essas últimas em partes ainda menores, até que, por volta de 880, cada rei estava governando uma área mais ou menos do tamanho de uma peça de Lego.

O que os três irmãos deveriam ter feito, é claro, era unificar os impérios, porque, em geral, essa não era uma época fácil para os primórdios da Europa medieval. O Sacro Império Romano não estava apenas se desintegrando em seu âmago; ele também sofria ataques externos. O final do século IX presenciou uma série de invasões que fizeram com que as ocupações do século V parecessem invasões de ônibus de turistas a uma cidade à beira-mar. Os vikings e os húngaros estavam avançando em grande número, e eles não estavam lá apenas pelos novos sabores de sorvete.

## Os vikings e os húngaros

De todos os invasores que ameaçavam os pacíficos povos da Europa, os vikings eram os mais temidos. Isso se devia à apavorante extensão de suas sagas e lendas absolutamente chatas e cansativas. Aldeões miseráveis da Irlanda à Itália viam a aproximação dos seus barcos longos e rápidos, observavam os temíveis escandinavos saltarem em terra firme com espadas e machados cintilando na chuva de outono e pensavam: "Cristo, eles não vão nos contar de novo aquela história interminável a respeito de Beowulf, vão?". No entanto os escandinavos contavam de novo a mesma história, como sempre faziam, porque eram implacáveis, grosseiros e dinamarqueses.

Por que os vikings deixaram o seu lar na Noruega, na Suécia e na Dinamarca? Essa é uma questão que intriga os historiadores há séculos, embora não de uma maneira significativa os historiadores que efetivamente tentaram viver na Noruega, na Suécia e na Dinamarca. Seja lá qual for a razão, os vikings descobriram que

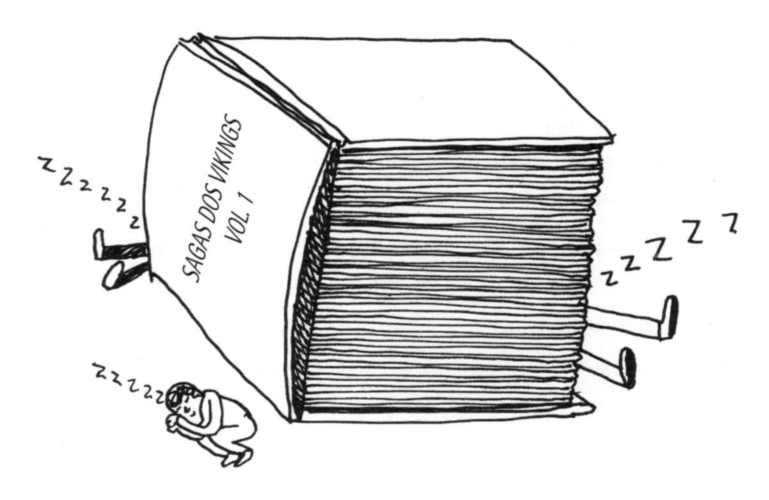


OS VIKINGS: TEMIDOS EM TODA A EUROPA
GRAÇAS À APAVORANTE EXTENSÃO DE SUAS SAGAS E LENDAS.

gostavam bastante de viajar pela Europa, portanto faziam muito isso – geralmente equipados com isqueiros.* Eles foram à Inglaterra e ficaram frustrados porque ela era úmida demais para incendiar, e também foram à Irlanda, França, Itália, Rússia, Islândia, Groenlândia e até mesmo ao Alasca. Às vezes, eles apenas matavam todo mundo e iam embora, enquanto em outras ocasiões permaneciam no lugar e começavam a se dedicar à agricultura, ao comércio e a contar histórias. As pessoas preferiam quando eles matavam todo mundo e iam embora.

Os vikings adoravam brigar, quase tanto quanto gostavam de vestir roupas de mulher e se chamar de Vicky. Liderados por aterrorizantes chefes tribais, como Eric, o Vermelho, e Sven-Göran Erikksson, eles lutavam em uma formação 4-4-2** e gostavam tanto de suas armas que davam nome a elas, como "mordedor de perna", "fazedor de buracos" e "por que ele simplesmente não saiu da

* Trocadilho no original. *Lighter*, em inglês, significa "isqueiro", mas também denomina uma barcaça. (N. dos T.)

** E, às vezes, de maneira confusa, 4-5-1.

minha frente, pelo amor de Deus?". As pessoas não gostavam deles porque eles eram pagãos, e não cristãos. Em vez de Jesus Cristo, eles veneravam Odin, Thor e Loki, e sonhavam com a vida eterna no Valhalla, o paraíso dos guerreiros mortos onde podiam se deleitar com a beleza das secretárias de Odin, as Valquírias, cujo nome tétrico significa "as que escolhem os que vão morrer".

Junto aos seus deuses estranhos e chifres muito vistosos, os vikings aterrorizaram a Europa durante dois séculos, antes de reduzirem as suas atividades na virada do milênio. Isso aconteceu porque, a essa altura, eles tinham começado a aceitar alguns dos costumes do continente, como apertar a mão das pessoas no primeiro encontro, em vez da saudação viking tradicional de cortar a cabeça. Eles até mesmo aceitaram o cristianismo, ao ver nas histórias e nos mitos do Antigo Testamento sagas que eram quase tão incoerentes e intermináveis quanto as suas.

O caos que eles criavam só era igualado ao transtorno causado pelos húngaros, um grupo étnico de nômades proveniente dos Montes Urais, que se perdeu e foi parar na Germânia. Usando táticas de ataque relâmpago, seus guerreiros montados atacavam todas as aldeias que ainda não tinham sido incendiadas pelos vikings, às vezes cavalgando durante sete ou oito meses a fio antes de encontrar uma. Para certos europeus de quatrocentos anos de idade, o seu comportamento turbulento lembrava um pouco o dos hunos. Com o tempo, depois de cerca de cinquenta anos de ataques profanos, os húngaros se acomodaram em sua base na Europa Oriental, na região da Bacia dos Cárpatos, e se tornaram cristãos, depois de terem sido empregados do Conde Drácula. Seu país ficou conhecido como Hungria.

## Os anglo-saxões

Depois que os romanos deixaram a Ilha da Bretanha no início do século V, culpando o mau tempo e os serviços públicos precários, tribos germânicas do continente invadiram o país. Desembarcando nas costas sul e leste, ondas sucessivas de anglos e de saxões inundaram a zona rural, empurrando as tribos da região, como os celtas, cada vez mais para o leste e, com o tempo, para o País de Gales. Isso provocou rancores que duram até hoje. Os saxões logo passaram a dominar os anglos, obrigando-os a ir para lugares incompreensíveis como Yorkshire, terra infestada de cachorrinhos de colo. No entanto, como prêmio de consolação, eles lhes deram o direito de escolher o nome do país. Estavam provavelmente pressupondo que os anglos fariam o que era óbvio e o chamariam de "Anglo-Saxolândia" ou algo parecido, mas os espertos anglos reconheciam uma oportunidade quando a encontravam e o chamaram de Inglaterra, literalmente "terra dos anglos". Com o tempo, o país foi dividido em vários reinos – o mais importante deles era Wessex, no sul. O rei de Wessex era mais ou menos considerado rei da Inglaterra, pelo menos pelo rei de Wessex, mesmo que por mais ninguém.

Os reis de Wessex tinham uma lei segundo a qual somente as pessoas cujos nomes começassem por "E" poderiam herdar o reino. Portanto, a Inglaterra foi obrigada a ralar muito durante o governo de Egbert, Ethelwolf, Ethelbald, Ethelbert, Ethelred, Ethel Skinner, entre outros, até que, em 871, o país virou um caos com a subida ao trono de uma pessoa chamada Alfredo. Por sorte, ele era o notório Alfredo, o Grande, o que foi muito bom porque exatamente naquele momento os vikings, ou dinamarqueses, como eram eufemisticamente chamados na Inglaterra, estavam atacando com os seus longos barcos. Alguns deles eram os infames "berserks", guerreiros que tinham uma fé cega em Odin e gostavam tanto de combater que lutavam seminus, usando apenas peles de animais para adquirir seus poderes. Alfredo então fez o que era mais sensato e pagou a eles uma enorme quantia para que se afastassem, até que ele conseguisse reunir um exército e uma marinha adequados. Feito isso, ele contra-atacou e travou uma guerra que durou dez anos.

Com o tempo, em 886, os dinamarqueses pediram paz, com a condição de receberem um bom pedaço de terra no norte, onde poderiam viver de acordo com a sua lei dinamarquesa; em troca, a Inglaterra não seria mais incendiada. Era um bom negócio, e isso proporcionou tempo a Alfredo para que pudesse fazer outras coisas, como começar a Crônica Anglo-Saxônica e ser confundido, na cabeça das pessoas, com o Rei Artur. Ele também ajudou a propagar o cristianismo, iniciando assim um período esquisito no qual a Inglaterra gradualmente foi invadida por santos.

Apesar do sucesso de Alfredo, contudo, depois da sua morte, em 899, Wessex imediatamente retomou a política de escolher reis cujos nomes começassem com "E". Edward, Ethelson, Edmund, Edwig, Egghead e Edwina Curry sucederam-se devidamente. Depois subiu ao trono, em 968, alguém chamado Ethelred, mais conhecido como o Despreparado. Essa foi uma notícia muito ruim, porque, por uma terrível coincidência, os vikings, dessa vez noruegueses comandados pelo terrível Olaf Tryggvason, tinham decidido que queriam assumir novamente o controle do país. Ethelred só conseguiu expulsar os invasores pagando-lhes um enorme tributo e mandando exterminar os vikings que haviam se estabelecido anteriormente na costa da Inglaterra. Claro que não demorou muito para que os seus "primos" dinamarqueses, liderados por Svend I, partissem para uma retaliação, obrigando Ethelred a fugir para a Normandia em 1013, de onde regressaria apenas um ano depois para reaver a coroa – agora um pouco menos despreparado.

## Diversão com o feudalismo

A situação na Europa do século X estava desesperadora. Grandes e pequenas cidades viraram pó; estradas e pontes estavam em péssimo estado de conservação; bandidos perambulavam livremente por todo lado; as pessoas sofriam e passavam fome; a guerra era incessante e não passava nada de bom na televisão já fazia mais de quatrocentos anos. Estava claro que alguma coisa precisava ser feita. A solução encontrada pela Europa Ocidental foi criar o feudalismo.

A coisa funcionava da seguinte forma: na ausência de um governo central forte, o poder se concentrava nas mãos dos nobres locais, que controlavam o território ao seu redor e obtinham a lealdade de um bando de cavaleiros. Esses guerreiros montados prometiam ser vassalos do senhor, enquanto o próprio senhor poderia prometer ser vassalo de um proprietário de terras mais importante, como um rei. Isso era bom até certo ponto, mas podia ficar muito complicado, já que nada impedia que um cavaleiro se tornasse vassalo de mais de um senhor. Se esses senhores por acaso tivessem uma rixa, o cavaleiro ficaria confuso com relação ao lado em que deveria lutar e, em casos extremos, poderia até mesmo ser forçado a atacar a si mesmo, o que era muito difícil de fazer enquanto a pessoa estava cavalgando.

Apesar de tudo isso, o feudalismo oferecia às pessoas uma certa segurança e, o que era mais importante, dava aos nobres a oportunidade de inventar o sistema cavalheiresco. Essa era a tentativa medieval de travar guerra de uma maneira um pouco mais educada: massacrar pessoas, sem dúvida, mas também compor músicas a respeito disso depois. Então, se você capturasse um colega cavaleiro durante um combate, não precisava levá-lo imediatamente para a masmorra e lentamente esmagar os vassalos dele com um par de tenazes em brasa; você o tratava como um hóspede e o entretinha com músicas de sua autoria no alaúde, até que ele estivesse pronto para esmagar os seus próprios vassalos com esses tenebrosos instrumentos de tortura. Você também podia cortejar todas as donzelas inocentes que encontrasse e fazer coisas cavalheirescas como atacar sozinho 3 mil soldados inimigos para mostrar como você era corajoso, insano e sem noção do perigo. Se você sobrevivesse, tinha a oportunidade de viver o resto da sua vida de acordo com sólidos princípios cristãos, nunca contar uma mentira ou se casar com qualquer pessoa que tivesse mais de 12 anos de idade. Afinal, nessa época nenhum cavalheiro que se prezasse se casaria com uma velha solteirona de 20 anos de idade.

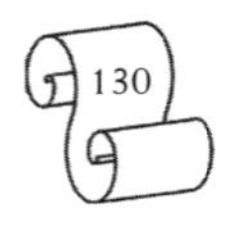


Além de travarem batalhas, os senhores feudais também precisavam cuidar das suas terras. Os feudos eram divididos em senhorios. Os servos cultivavam as terras do senhorio, labutando quatro dias por semana no seu pedaço de terra e três dias por semana nas terras do seu senhor. Era uma vida dura, que as pessoas praticamente passavam trabalhando, mas pelo menos era segura. Desde que as safras não fossem minguadas, os servos podiam ter a sua refeição diária de pão, ovos e cerveja e a garantia de que estariam mortos aos 40 anos. Os outros camponeses do senhorio eram homens livres que alugavam as terras do senhor feudal. Entre eles estavam trabalhadores especializados como ferreiros, moleiros, tanoeiros e carpinteiros: pessoas necessárias para manter o senhorio funcionando de forma autossuficiente.

# PARTE 11

# A IDADE DAS TREVAS UM POUCO MENOS SOMBRIA 1000-1500 d.C.

## A Peste Negra

No ano 1000 d.C., quase todas as pessoas estavam bastante convencidas de que o mundo ia acabar. No entanto, quando ele sobreviveu sem nem mesmo um defeito no ábaco, as pessoas decidiram celebrar com uma revitalização econômica. Com o término das invasões dos vikings e dos húngaros por volta de 950, a Europa finalmente se viu livre para se dedicar um pouco à economia do livre mercado. Primeiro, a agricultura melhorou com a introdução da rotação de culturas em três terrenos, e depois o comércio se desenvolveu com os impérios mais prósperos do Leste. Como as estradas da Europa Ocidental ainda eram construídas principalmente à custa de camponeses mortos, a maior parte desse comércio se realizava no mar. Os principais beneficiários eram os portos italianos como Veneza e Gênova, embora mais tarde o norte da Europa tenha entrado na brincadeira, com Flandres se tornando o centro de uma próspera indústria de barro.

Começaram a surgir grandes e pequenas cidades, incentivando um êxodo gradual dos senhorios à medida que as pessoas saíam em busca de uma vida melhor. Em geral, esses pioneiros urbanos descobriram que a sua nova vida era, ainda que não necessariamente melhor, pelo menos mais curta. As cidades eram imundas e superpovoadas, as ruas estavam cobertas pela água do esgoto, e ratos, ladrões e trapaceiros itinerantes estavam por toda parte. Elas também eram, é claro, um excelente local de disseminação de epidemias.

Não parecia haver nada incomum em relação ao navio mercante que entrou no porto de Gênova ao voltar do Mar Negro em 1347, exceto, talvez, pelo fato de os ratos estarem se coçando mais do que de costume. Porém, nos dois anos seguintes, um terço da população da Europa Ocidental foi exterminado. A Peste Negra teve uma taxa de mortalidade em torno de 80%, com as pessoas raramente sobrevivendo mais do que poucos dias. À medida que as comunidades se extinguiam e cidades inteiras eram devastadas, o único consolo para as pessoas foi a invenção de um novo esporte chamado arremesso de cadáveres, que consistia em atirar membros da família repletos de infecções em uma grande carroça que passava em alta velocidade pelas "cidades".

ARREMESSO DE CADÁVERES, UM NOVO ESPORTE
INVENTADO PARA OS JOGOS DA COMUNIDADE BRITÂNICA DE 1348.

Compreensivelmente, houve sérios efeitos na economia. A indústria de lã declinou enquanto o mercado de roupas chegava ao fundo do poço, e as pessoas tampouco estavam comprando fundos de pensão. Vendo pelo lado positivo, as cidades não esta-

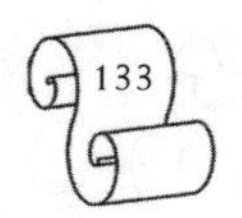


vam mais tão apinhadas quanto antes e, graças a Deus, muitos dos trapaceiros tinham morrido. A servidão também entrou em declínio, já que os senhores feudais se deram conta de que era mais lucrativo alugar a terra para camponeses do que obrigar os seus velhos servos mortos a cultivá-la. Entretanto, de forma geral, a Peste Negra não foi um evento positivo para a Europa, e levaria mais de um século para que as pessoas voltassem a se sentir confiantes o bastante para começar a comer ratos novamente.

## As cruzadas

No século VII, árabes muçulmanos praticaram a temeridade de conquistar a Terra Santa. Eles tinham vivido lá pacificamente com cristãos e judeus, deixando que peregrinos do Ocidente fossem prestar os seus respeitos na terra natal de Jesus. No entanto, no século XI, turcos seljúcidas, daqui por diante chamados de "Os Malignos Infiéis", assumiram o controle. Eles começaram imediatamente a assassinar e torturar de forma brutal cristãos inocentes, ocasionalmente cobrando pedágio para que entrassem em Jerusalém. O Papa Urbano II não estava disposto a apoiar isso e, quando o imperador bizantino lhe pediu ajuda para combater os turcos, ele convocou um grande encontro na França para reunir voluntários com a finalidade de promover uma guerra santa.

Não eram poucas as pessoas interessadas. Os nobres se sentiram inspirados pela ideia de saquear* a Terra Santa, enquanto os soldados comuns frequentemente se alistavam para escapar das dívidas, da pobreza ou da prisão. Bradando "É a vontade de Deus!", esse exército desorganizado com cerca de 30 mil soldados marchou pela Europa em direção a Constantinopla, onde o imperador bizantino estava aguardando. O nobre imperador contemplou os vastos exércitos de Cristo e, vendo-os cheios de determinação e fervor divino, voltou-se para o seu vizir e disse: "Ah, merda!".

---

* Desculpe, quero dizer "libertar".

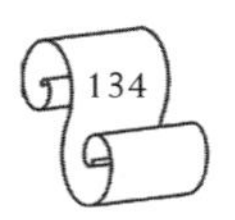


A verdade era que ele não esperava que tantas pessoas aparecessem, e a ideia de 30 mil criminosos saqueadores marchando em meio ao seu império não era o que ele entendera com a palavra ajuda. Ele pesou cuidadosamente as suas opções e, relembrando a orgulhosa história dos seus antepassados, decidiu que só havia realmente uma coisa a fazer:

"Hãã... vocês pensaram na possibilidade de ir até Roma?", ele sugeriu.

Os cruzados, no entanto, eram espertos demais para cair nesse velho truque, de modo que passaram diretamente por ele e marcharam em direção à Ásia Menor, ou Turquia para os íntimos. Foi aí que o imperador se vingou um pouco, porque, na pressa de chegar à Terra Santa, os cavaleiros tinham se esquecido de que Jerusalém não era exatamente na Ásia Menor, e sim muito mais para o leste. Tendo deixado de levar comida e água, eles começaram a tombar sob o sol escaldante, enquanto disputavam desesperadamente qualquer coisa que conseguissem pilhar. Se os turcos tivessem qualquer noção de alguma coisa, teriam atacado nesse momento, mas o dia estava quente e eles não se deram ao trabalho. De algum jeito, os cruzados chegaram a Jerusalém, submetendo então a cidade a um cerco. Depois de uma breve batalha, eles derrotaram os defensores turcos e, enxergando a oportunidade de finalmente libertar* a cidade santa, massacraram todos os que estavam dentro dela, independentemente de serem muçulmanos, cristãos ou judeus. "É a vontade de Deus!", gritavam alegres os cruzados.

Com o tempo, porém, os turcos se reorganizaram, e em meados do século XII tinham retomado Edessa, que não ficava distante de Jerusalém. A essa altura, muitos dos cruzados tinham voltado para a Europa, mas em 1147 eles atenderam ao chamado para uma Segunda Cruzada. Dois exércitos chefiados pelo rei da França e pelo Sacro Imperador Romano Germânico foram às pressas para

* Saquear.

a Palestina, lutaram um contra o outro e depois voltaram, deixando os turcos felizes, embora um pouco confusos.

Em 1187, com o seu novo líder Saladino, os muçulmanos tomaram Jerusalém, massacrando os Cavaleiros Templários no processo. O Papa Urbano II, agora com mais de "150 anos" de idade, ordenou a realização de uma Terceira Cruzada dos Três Reis, e depois de algumas buscas, Ricardo "Coração de Leão", da Inglaterra, Frederico Barba Ruiva, do Sacro Império Romano Germânico, e Felipe II, da França, concordaram em participar. No caminho, Frederico Barba Ruiva, que estivera discutindo constantemente com Ricardo a respeito de quem tinha o melhor apelido, aparentemente mudou de ideia com relação à expedição e se afogou. Nesse meio-tempo, o Rei Felipe, que também não gostava muito de Ricardo, esperou até que o rei inglês pegasse no sono em uma determinada noite e voltou para a Europa, na ponta dos pés, para confiscar as terras dele na França. Isso deixou Ricardo sozinho para combater os turcos, porque, para dizer a verdade, os seus soldados tampouco ligavam muito para ele. No decorrer dos três anos seguintes, ele lutou sozinho contra as tropas de Saladino e, por incrível que pareça, não obteve nenhuma vantagem significativa. No final, contudo, ele conseguiu negociar uma trégua, que proporcionou aos muçulmanos o controle de Jerusalém, embora os cristãos pudessem visitar a cidade sempre que quisessem – o que era mais ou menos a situação que existia antes de as Cruzadas começarem. Isso ficou conhecido como fazer "paz com honra".

O Papa Urbano II, contudo, não ficou satisfeito, e mais Cruzadas se seguiram. Elas culminaram na Cruzada das Crianças em 1212, possivelmente o momento mais negro do Ocidente, quando 30 mil colegiais franceses – liderados por um aluno da primeira série do ensino fundamental chamado Stephen e armados apenas com réguas e borrachas – tentaram atacar Jerusalém. Eles chegaram até Marselha, onde foram enganados e convencidos a embarcar em navios escravos, e nunca mais foram vistos. Existem outras versões desse fatídico episódio, mas lembre-se de que este é um livro de história sem as partes chatas.

Outras tentativas desorganizadas ocorreram mais tarde, mas em 1291 foi tomado o último baluarte cristão, na cidade de Acre, na região da Galileia, e o Papa Urbano II finalmente morreu de desgosto.

## A Inglaterra e sua história real, os reis etc.

Enquanto Ethelred, o Despreparado, corria inutilmente de um lado para o outro de pijama, os dinamarqueses rapidamente reconquistaram o país, e em 1016 colocaram o primeiro verdadeiro rei da Inglaterra no trono. Seu nome era Canuto II da Dinamarca, e a Inglaterra era o seu terceiro reino, junto com a Dinamarca, é óbvio, e a Noruega. No que dizia respeito aos canutos, o rei era um bom governante, e os anglo-saxões estavam satisfeitos em deixar os dinamarqueses governarem desde que ele permanecesse vivo e no trono. Infelizmente, ele se revelou incapaz de fazer isso, e foi sucedido pelos seus filhos, que eram, de longe, muito menos canutos. Já em 1042, eles tinham sido expulsos, junto com a maioria dos seus concidadãos, e um verdadeiro inglês* foi colocado no cargo. O seu nome era Eduardo, o Confessor, embora mais tarde ele afirmasse ter sido coagido.

Eduardo era um homem religioso e fundou a Abadia de Westminster, mas, oito dias depois de ela ter sido concluída, ele morreu. Ele não fez isso de propósito, é claro, mas mesmo assim admitiu que a culpa era dele. O rei nunca fora muito chegado às mulheres, e não deixou herdeiros. Ele foi sucedido por Haroldo, o Saxão, um saxão, mas como o ano era então 1066, ele claramente não ia ser um saxão por muito tempo. Guilherme da Normandia afirmou que a Inglaterra lhe pertencia devido ao fato de tê-la visitado uma vez quando criança, e logo se mudou para uma aldeia no sul da

---

* Quer dizer, ele era alemão.

Inglaterra chamada Batalha de Hastings, onde começou a trabalhar febrilmente na tapeçaria de Bayeux.* Nesse meio-tempo, Haroldo, o Saxão, veio correndo de Stamford Bridge,** onde a Inglaterra tinha jogado em casa contra a Noruega, e chegou a Hastings bem a tempo de Guilherme levantar os olhos do trabalho e feri-lo no olho com uma agulha de tricô.

O novo rei impôs o feudalismo ao seu novo país, com a diferença que, em vez de a terra pertencer aos nobres, Guilherme então declarou que tudo pertencia a ele. Para prová-lo, ele mandou escrever um livro no qual estava relacionado tudo que todo mundo possuía, só que, é claro, as pessoas não possuíam mais nada, ele é que possuía. O livro foi chamado de Livro de Domesday,*** porque as pessoas achavam que seria mais fácil escapar da ira de Deus no Dia do Juízo Final do que soletrar a palavra *doom* corretamente. O rei deu alguns dos seus novos bens para amigos normandos, que a partir de então passaram a ser conhecidos como barões, graças à sua perversidade francesa.

"Eduardo era um homem religioso e fundou a Abadia de Westminster, mas, oito dias depois de ela ter sido concluída, ele morreu."

## HENRIQUE E O BECKET

A próxima coisa interessante que aconteceu na Inglaterra foi Henrique II. Nascido na província francesa de Anjou em 1133, ele havia se casado com a terrível Eleanor de Aquitânia e compreendeu que invadir a Inglaterra era a única maneira pela qual ele poderia escapar dela. Ele passou grande parte do seu reinado reformando o sistema judicial, algo com que poucos reis tinham se importado

* Tapeçaria que reproduz a famosa Batalha de Hastings. (N. dos T.)

** O autor faz uma brincadeira com Stamford Bridge, que é o nome de uma batalha importante ocorrida três semanas antes da Batalha de Hastings, e também o nome de um estádio de futebol em Londres. (N. dos T.)

*** *Domesday* em inglês é a forma arcaica de *Doomsday*, que significa "Dia do Juízo Final". (N. dos T.)

muito. Em vez de decidir os julgamentos de uma maneira totalmente aleatória – o antigo sistema –, ele introduziu corpos de jurados de doze homens para ouvir as provas, e a partir de então todas as testemunhas juraram dizer a verdade e nada além da verdade em nome de Deus.

Isso o colocou em conflito com o arcebispo de Canterbury, Thomas "a" Becket, que acreditava que a verdade só deveria ser dita em julgamentos com pessoas comuns e não em julgamentos com padres. Isso impeliu Henrique a declarar em um tom jocoso: "Oh, eu adoro esse cara, espero que ele viva até os 100 anos!". Depois disso, o arcebispo foi imediatamente assassinado. Henrique foi então obrigado a passar o restante do seu reinado desculpando-se com o papa e fazendo penitência rastejando até Canterbury de joelhos e batendo em si mesmo com varas de bétula, até que, com o tempo – diziam alguns –, ele começou a gostar daquilo. Ele também foi à Irlanda, novamente como uma penitência. (Que os irlandeses não leiam isto.)

## O PERVERSO REI JOÃO

Henrique II foi sucedido pelo seu filho Ricardo Coração de Leão, que imediatamente partiu para participar da Cruzada contra Aladim, hãã, Saladin, perdão, Saladino. Depois de passar três anos nas Terras Santas, ele conseguiu ser sequestrado pelo Duque da Áustria na volta, e passou mais ou menos um ano na prisão. Depois de a Inglaterra pagar principescas 100 mil libras para soltá-lo, Ricardo finalmente voltou para o seu reino. O país ficou imensamente aliviado ao revê-lo, já que João, o irmão perverso e deformado de Ricardo, estivera ativamente usurpando o trono na sua ausência. Ricardo prometeu resolver tudo tão logo voltasse de uma rápida viagem à França. Naturalmente, ninguém voltou a vê-lo.

Isso deixou João completamente no controle, e ele aproveitou isso de forma plena nos quinze anos seguintes – sendo extremamente mau, opressivo e deformado. Finalmente, em 1215, os barões

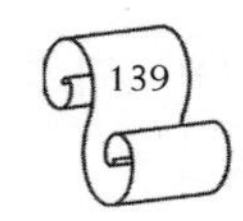


decidiram dar um basta naquilo e o obrigaram a assinar a Magna Carta, um documento histórico e pioneiro que ordenava que João:

1. Deixasse de ser tão mau e opressivo e, se possível, deformado.
2. Formasse um Grande Conselho para conjuntamente criar maneiras cada vez mais sinistras e inventivas para tributar os pobres.
3. Parasse de fazer filmes de péssima qualidade a respeito de Robin Hood.

## A GUERRA DOS CEM ANOS

Depois da morte de João, em 1216, os subsequentes reis da Inglaterra dedicaram os seus reinados inteiros à tentativa de desconsiderar a Magna Carta. Na condição de monarca medieval, você poderia fazer isso de duas maneiras: (1) invadir a França para que os barões se esquecessem da representação democrática e, com um pouco de sorte, fossem empalados em um machado, ou (2) fingir que você não sabia ler latim. Eduardo III escolheu a rota francesa.

A França tinha protagonizado um bocado de história nos trezentos anos anteriores, porém o ponto mais importante era que o rei francês – que, por lei, precisava se chamar ou Carlos ou Luís – não tinha nem terra nem dinheiro, depois de ter esbanjado quase tudo em armaduras destinadas a protegê-lo de hordas de esposas e amantes coléricas. O rei inglês, na verdade, tinha mais terras na França do que o rei francês, particularmente depois do casamento de Henrique II com Eleanor de Aquitânia. É por isso que os franceses recorriam a táticas sujas e desleais como se esgueirar de volta mais cedo das Cruzadas para pegar tudo de volta. Isso, aliado à afirmação de Eduardo II de que ele era, de fato, o legítimo rei da França graças ao fato de gostar muito de pão de alho, era um passaporte para a guerra.

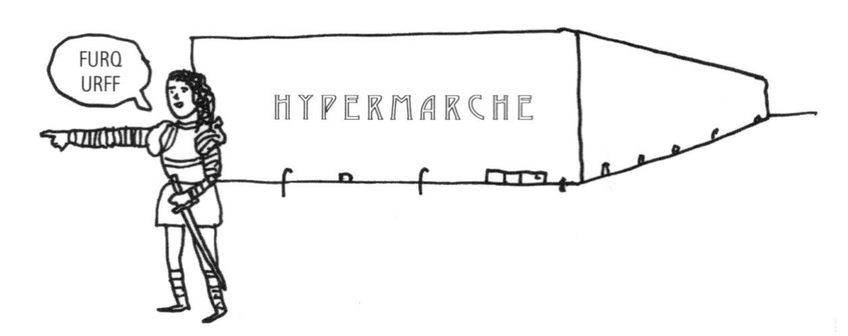


1453: UM SOLDADO SOLITÁRIO DEFENDE UM DOS POUCOS BALUARTES INGLESES REMANESCENTES.

A partir de então, a reputação de cada rei inglês e francês em seu país dependia inteiramente do seu sucesso ou fracasso na guerra, independentemente de qualquer outra coisa que pudesse acontecer. Até mesmo a Peste Negra empalideceu em comparação com isso. Em 1348, por exemplo, Eduardo III ganhou uma pequena escaramuça fora dos muros de Calais, enquanto a peste exterminava um terço da população da Inglaterra. As pessoas olhavam para trás depois e diziam: "1348? Foi um *excelente* ano!". Foram tempos confusos.

O sucesso inicial da Inglaterra se baseava no arco longo, uma arma absurdamente simples que, por alguma razão, os franceses nunca conseguiram dominar. A vitória em Crécy em 1346 foi seguida de mais sucesso em Poitiers, e, de repente, Eduardo III era dono de metade da França. No entanto, justo quando as coisas estavam melhorando, ele ficou senil e os ganhos foram perdidos. O seu sucessor, o malvado Ricardo II, negociou uma valiosa trégua de 28 anos, pela qual ele foi devidamente deposto em 1399. Ele também enfrentou uma Revolta dos Camponeses em 1381 com a liderança de Wat Tyler, que acabou em derramamento de sangue em Smithfield quando o desinformado Tyler não parava de dizer "Wat?"* todas as vezes que o rei perguntava o seu nome.

* Trocadilho com a expressão em inglês *what?*, que significa "o quê?". (N. dos T.)

Ricardo foi sucedido por Henrique IV partes I e II – nenhuma das quais fez nada interessante. Ele também foi sucedido por Bluff King Hal, cujo verdadeiro nome acabou se revelando ser Henrique V. Henrique V foi, é claro, o melhor rei, por ter inventado a saudação com dois dedos, que ele fazia aos franceses sempre que os encontrava. Era uma referência aos dois dedos do meio usados para puxar para trás a corda do arco longo, que os franceses costumavam cortar quando capturavam arqueiros ingleses. A saudação ainda é feita hoje quando as pessoas encontram franceses inesperadamente. Foi o suficiente para dar aos ingleses uma famosa vitória em Agincourt em 1415, e Henrique V sabiamente escolheu morrer alguns anos depois, antes que as pessoas pudessem se dar conta de que ela fora um acaso feliz.

Depois disso, no entanto, tudo se deteriorou. Em 1429, a Inglaterra atingiu o seu ponto de maior decadência quando foi imprudente o bastante para se envolver em uma briga com uma moça, Joana D'Arc, a qual a Inglaterra inevitavelmente perdeu. Embora Joana fosse posteriormente queimada por heresia (ela afirmava ter ouvido vozes divinas, a qualificação costumeira para a santidade), ela inspirou grandeza aos franceses, e já em 1453 os ingleses tinham sido expulsos de todas as possessões francesas com exceção de alguns hipermercados perto das docas de Calais. Isso coincidiu com um período no qual o rei inglês, Henrique VI, ficou maluco,* e assim a guerra chegou a um fim humilhante. Tecnicamente, os franceses afirmariam ter vencido, mas também é importante não se esquecer de que existem todas as chances possíveis de que eles tenham trapaceado.

## A Igreja

Se existia uma coisa que não podia ser desconsiderada no final da Idade Média, essa coisa era a Igreja. Ela estava em toda parte,

* No sentido de que ele achava que era uma árvore.

praticamente em cada esquina. Com os seus tetos românicos e arcos góticos, ela dominava a paisagem medieval como a instituição que todas as pessoas da Europa compartilhavam, além da servidão e da Peste Negra.

A Igreja impunha os seus ensinamentos convencendo as pessoas a ter fé em um verdadeiro Senhor Deus que falava por intermédio do seu representante na Terra, Sua Santidade o Papa; e, quando isso falhava, ela simplesmente pedia ajuda à Inquisição Espanhola. A Inquisição Espanhola começou depois da queda dos mouros muçulmanos no final do século XV, e o seu primeiro alvo foram os judeus. Os mouros sempre haviam tolerado a minoria judaica, mas, quando os cristãos voltaram ao poder com Fernando e Isabel, os judeus fizeram o que era sensato e começaram a ir à igreja, a comer porco, a louvar o Cristo ressuscitado, entre outras coisas. Entretanto a nova Inquisição Espanhola desconfiava de que os astuciosos judeus estavam na realidade apenas fingindo ser cristãos e que no fundo ainda eram, efetivamente, judeus. Essa desconfiança, de fato, se revelou verdadeira, como os judeus prontamente admitiam depois de serem torturados por tempo suficiente. Eles também admitiam prontamente ter copulado com o diabo, comido bebês natimortos, feito sexo com lhamas e ser galinhas de quatro pernas. Exatamente como pensávamos, dizia a ardilosa Inquisição Espanhola.

Depois de acabar com os judeus, a Inquisição Espanhola passou a cuidar de outros elementos perigosos na sociedade medieval, como os hereges, os agnósticos e mulheres velhas com verrugas. Eles foram ajudados nessa nova cruzada pelos dominicanos, que eram uma entre literalmente milhares de ordens monásticas que haviam surgido no período. Entre outras ordens estavam os beneditinos, os monges cluniacenses e os frades franciscanos, mendicantes medievais empobrecidos que viviam apenas do que conseguiam mendigar e que, de alguma maneira, sempre conseguiam acabar excessivamente gordos.

Isso não significa que a Igreja não tivesse os seus problemas. O mais sério de todos foi o cisma papal, criado em 1378, quando

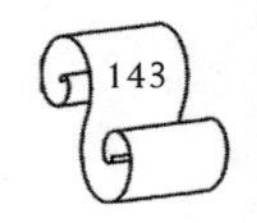


os franceses e os italianos, por razões de eficiência administrativa, decidiram que cada um precisava ter o seu próprio papa. O papa francês, Clement, foi viver em Avignon, enquanto o papa italiano, Urbano, permaneceu em Roma. Essa era uma situação confusa para todo mundo, especialmente para Deus, de modo que em 1409 o Concílio de Pisa foi convocado para resolver o problema. Depois de muita deliberação e possivelmente até mesmo orações, o conselho decidiu depor os dois papas e eleger um terceiro. Infelizmente, eles deixaram de informar o fato a Urbano e Clemente, que se recusaram a aceitar o novo papa, o que deixou a Igreja não com um, mas com três sujeitos chamando a si mesmos de papa. Na verdade, diziam que havia tantos papas em Pisa nessa época que a torre começou a se inclinar. Em 1417, foi realizada outra reunião, dessa vez em um prédio com fundações mais seguras, e os três papas foram depostos em favor de um quarto, Martinho. Este teve permissão para ficar, mas o descontentamento com a autoridade papal continuou. Não iria acontecer ainda durante algum tempo, mas as sementes da Reforma tinham sido plantadas.

# 6

# A EUROPA E A RENASCENÇA

## (1500-1763 d.C.)

### Introdução

Na Idade Média, a Europa Ocidental não era muito considerada entre as civilizações do mundo. Na realidade, ela era uma espécie de piada. Os muçulmanos zombavam das suas impotentes tentativas de eliminar a sua religião. "Ei, os cruzados estão chegando!", avisavam eles uns para os outros, em tom de chacota. "Procure não rir da armadura deles." Os chineses, que a essa altura estavam dirigindo carros e planejando a sua primeira expedição a Marte, eram ainda mais duros: "Quantos europeus são necessários para trocar uma lâmpada? Nenhum. Eles ainda usam velas! Ha ha ha!".

Mas tudo isso estava prestes a mudar. A Renascença estava se propagando a partir da Itália. Novas tecnologias revolucionavam a cultura e a arte da guerra. Leonardo da Vinci estava inventando o helicóptero. O comércio atingia novos picos de vendas, e exploradores descobriram que havia um novo mundo inteirinho para eles destruírem. A Europa estava em ascensão, e civilizações por toda parte iam despencar no abismo.

# PARTE 1

# A RENASCENÇA E A REFORMA 1350-1600 d.C.

## A Renascença

A Renascença começou na Itália durante o final do século XIV, quando vários sábios eruditos se lembraram de que um dia Roma fora um poderoso império que construíra estradas, mansões e aquedutos e levara prosperidade e progresso para todo o mundo ocidental. "Espere um minuto", pensaram os brilhantes eruditos. "Por que simplesmente não roubamos todas as ideias deles?" Isso desencadeou uma onda de interesse pela literatura grega e romana e tornou-se conhecido como humanismo graças ao fato de um ou dois dos antigos romanos terem sido vagamente humanos. Os humanistas tentaram absorver a maior quantidade possível de conhecimento clássico, porque isso era bem mais fácil do que produzi-lo. Eles o transmitiam em universidades em um curso chamado Humanidades, que era popular entre os alunos, já que parecia uma opção mais fácil do que os cursos da área de ciências. Eles celebravam o advento do homem da Renascença, o qual, segundo era esperado, deveria saber uma quantidade significativamente pequena a respeito de diferentes coisas e também usar um perfume agradável. O mais importante deles foi Leonardo da Vinci: pintor, escultor, escritor, arquiteto, músico, engenheiro, anatomista e inventor. Além de construir um canal, pintar *A Última*

*Ceia* e inventar um tanque de guerra, ele também era especialista em anatomia humana, fato que os acadêmicos afirmam poder explicar o misterioso sorriso no rosto da Mona Lisa. (Essa foi de doer, hein?! Acho que vou retirá-la da próxima edição.)

Muitos dos homens do início da Renascença eram florentinos como Michelangelo, Donatello e Roberto Baggio. Mas já em 1500 a notícia tinha se espalhado para o norte da Europa, com o auxílio da invenção da prensa tipográfica. O monge holandês Erasmo de Roterdã escreveu livros criticando a Igreja pela sua corrupção e falta de devoção. O seu amigo *sir* Thomas More escreveu a famosa *Utopia*, obra na qual descrevia uma terra sem propriedades, onde não havia ganância ou fome, uma fraternidade de homens e mulheres compartilhando o mundo inteiro. Shakespeare participou dessa época com algumas peças, enquanto pintores flamengos faziam experiências com tinta a óleo nas telas. De repente, a Europa era legal e estava na moda, e as ideias tradicionais foram ameaçadas.

## A Reforma

### MARTINHO LUTERO

Uma dessas ideias tradicionais era que se, como um bom e devoto cristão, você quisesse ir para o céu depois de morrer, era importante que em certas horas do dia, ou até mesmo constantemente, você desse algum dinheiro para a Igreja. Na qualidade de representante oficial de Deus na Terra, essa era a única maneira pela qual a Igreja poderia garantir um serviço adequado ao seu cliente; caso contrário, Ele simplesmente levaria o seu negócio para outro time que estivesse disposto a pagar a taxa de mercado adequada. Uma das maneiras de doar dinheiro para a Igreja era comprar dela uma relíquia sagrada original e totalmente autêntica, como um fragmento da verdadeira Santa Cruz – havia um estoque ilimitado desses fragmentos tanto nas lojas quanto em sites seguros na internet.

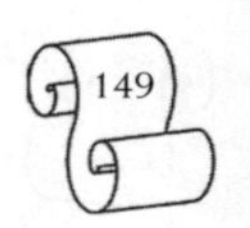


Martinho Lutero, um monge batista alemão, sempre se sentira pouco à vontade com os preceitos que a Igreja lhe ensinara. Independentemente do que fizesse, não conseguia entender por que isso acontecia. No entanto, certo dia, quando estava lendo a Bíblia, ele teve uma revelação. Ela era em latim! Era por isso que ele não entendia nada. A partir desse dia, ele compreendeu que todas as coisas extravagantes que a Igreja estava lhe dizendo eram pura bobagem. Tudo o que ele precisava era de uma fé cega.

Lutero afixou 95 teses na porta da igreja em Wittenberg, nas quais ele argumentava que bispos, padres e papas deturpavam a verdade contida na Bíblia. É desnecessário dizer que isso não foi bem aceito pelos bispos, padres e papas, e no ano seguinte Lutero foi obrigado a se submeter à Dieta de Worms,* pois tinham a esperança de que ele abjurasse o seu café da manhã.

Porém Lutero tinha uma constituição forte. Em 1522, ele traduziu o Novo Testamento para o alemão, para que finalmente pudesse lê-lo, e começou a trabalhar no resto. Nesse meio-tempo, muitos governantes alemães abraçaram a sua causa, atraídos pela simplicidade da doutrina e pelo fato de que eles poderiam realmente irritar o Sacro Imperador Romano Germânico.** Surgiram novas seitas do luteranismo, como os anabatistas, e, embora o próprio Lutero se opusesse a elas (ele estava certo de que a sua Bíblia dissera alguma coisa a respeito de que não deveria haver seitas*** antes do casamento), muitos outros aderiram a elas. Quando o imperador tentou deter a tendência em 1529, proibindo todas as novas religiões, os lordes protestaram, o que lhes conferiu o apelido de protestantes.

---

* O autor disse que Lutero teve que se submeter a uma Dieta de Vermes, já que *worm* é "verme", em inglês. A palavra *diet* em inglês (assim como "dieta" em português) tem dois sentidos: regime alimentar ou assembleia de religiosos. (N. dos T.)

** Um passatempo popular na Alemanha da época, assim como a prática de queimar bruxas.

*** Jogo de palavras. Em inglês, a palavra *sects* ("seitas") tem o som parecido com *sex* ("sexo"). (N. dos T.)

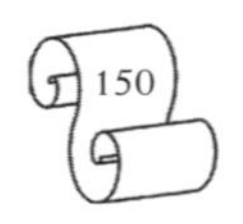


## A REFORMA SE ESPALHA ATÉ HENRIQUE VIII

O luteranismo se espalhou rapidamente da Alemanha para o norte, chegando à Escandinávia, tornando-se a Igreja estabelecida na Dinamarca, na Noruega e na Suécia. Na Inglaterra, ele encontrou oposição na forma majestosa de Henrique VIII, que achava que a única pessoa no seu reino que precisava de mais seitas era ele próprio. Isso fez com que o papa lhe conferisse o título de Defensor da Fé. No entanto, alguns anos depois, isso começou a parecer um pouco tolo quando ele tentou se divorciar da sua primeira esposa, Catarina, por ela ter dado à luz uma monstruosidade deformada e asquerosa abominada tanto por Deus quanto pela humanidade.* O papa se recusou a conceder o divórcio com a alegação inteiramente espiritual de que Catarina era tia do Sacro Imperador Romano Germânico; e Henrique decidiu que, em vez de implorar, ele iria simplesmente formar a sua própria Igreja. Ela era basicamente igual à Igreja Católica, com a diferença que Henrique era o líder dela, o que, portanto, lhe dava o direito não apenas de se divorciar das suas esposas como também de decepar a cabeça delas caso não fossem boazinhas. Ele também concedeu a si mesmo o poder de dissolver mosteiros, embora tivesse o cuidado de usar um ácido que não corroesse o ouro.

Finalmente, a sua terceira esposa, a famosa atriz Jane Seymour, lhe deu um filho. Jane morreu pouco depois de dar à luz, o que deixou Henrique muito descontente, pois ele não tivera a chance de executá-la. Seguiram-se mais três esposas, mas a essa altura Henrique estava sofrendo de gota e tão repugnantemente obeso que elas estavam praticamente executando a si mesmas. O seu filho, Eduardo VI, subiu ao trono quando Henrique morreu, em 1547, mas durou apenas seis anos antes de morrer de tuberculose. Isso deixou a primeira filha de Henrique, Mary, no comando. O reinado

* Uma menina.

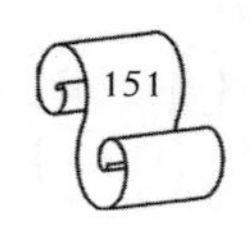

da sanguinária Mary* foi uma verdadeira mistura de vodca com suco de tomate, revoltas e perseguições, enquanto ela tentava restaurar o catolicismo e queimar qualquer pessoa que continuasse a ser anglicana. Portanto, ninguém ficou aborrecido quando ela morreu e foi sucedida pela mais moderada Elizabeth I, filha de Ana Bolena, a segunda esposa de Henrique e uma mulher extremamente atraente. Elizabeth levou paz e prosperidade para o reino, mas optou por não ter um marido em prol da segurança da Inglaterra. Pelo menos era o que ela gostava de dizer para si mesma quando via no espelho o seu nariz adunco e seus dentes escuros e podres.

FATO

FICÇÃO

RAINHA ELIZABETH I – ANTES E DEPOIS DO PHOTOSHOP.

## CALVINO E OS CALVINISTAS

Nesse meio-tempo, numa pequena cidade chamada Suíça, em um minúsculo vilarejo chamado Genebra, surgiu um homem chamado João Calvino. Calvino estava convencido de que, no que dizia respeito à reforma religiosa, Lutero tinha sido um pouco covarde, e acreditava que não apenas a fé era mais importante do que as boas obras, mas também que Deus na verdade já tinha decidido

* Brincadeira com Bloody Mary, o drinque, que pode ser traduzido como "Mary sanguinária". Na verdade, uma das possíveis origens do nome da bebida talvez seja a referência à rainha inglesa. (N. dos T.)

quem iria para o céu no Dia do Juízo Final e não havia muito que se pudesse fazer a respeito disso. Aqueles eleitos por Deus tinham o dever de viver à altura da sua posição pedindo constantemente perdão pelos seus pecados e tentando não parecer presunçosos. É claro que ninguém tinha como saber realmente se eles tinham sido ou não escolhidos. No entanto Calvino deixava claro que, se você não fosse calvinista, podia ter certeza de que não tinha sido escolhido. Em 1541, ele foi convidado para assumir o controle da pequena Genebra e pôr em prática as suas convicções. Os genebreses foram a partir de então proibidos de dançar, sorrir, jogar jogos de azar, jogar cartas, vestir roupas bonitas, ir ao teatro e – misericordiosamente – cantar músicas tirolesas. Eles podiam, contudo, ouvir sermões tranquilamente e espancar brutalmente os filhos, de modo que eles faziam muito isso.

CALVINO E OS CALVINISTAS: DANÇAR, SORRIR, JOGAR JOGOS DE AZAR, JOGAR CARTAS, VESTIR ROUPAS BONITAS E CANTAR MÚSICAS TIROLESAS – TUDO ISSO PASSOU A SER ILEGAL.

De modo extraordinário, esse conjunto extravagante de regras se tornou popular, e já em 1600 tinha produzido a Igreja Protes-

tante, predominante na Europa. No norte dos Países Baixos, ela se tornou conhecida como a Igreja Holandesa Reformada; na Escócia, foi a Igreja Presbiteriana; e na Inglaterra, o Movimento Puritano. Ela até mesmo chegou à resolutamente católica França, na forma de huguenotes. Estava claro que alguém precisava parar aquilo antes que fosse tarde demais. Infelizmente, a Igreja Católica estava ocupada com outras coisas, graças ao inesperado surto da...

## FEBRE DAS BRUXAS

Com as suas instituições ameaçadas, as suas doutrinas fundamentais questionadas e o número de papas limitado a um algarismo, a Igreja decidiu contra-atacar promovendo noites de fogueira ao ar livre, repletas de ação, com divertimento para toda a família. Membros da Inquisição foram trazidos da Espanha para organizar esses eventos e eles imediatamente começaram a percorrer a Europa em busca de lenha. Infelizmente, com uma pequena era do gelo em curso, toda a lenha já havia sido usada pelos camponeses, de modo que a Inquisição se viu obrigada a usar hereges em vez de lenha. Os hereges queimavam bem, mas com o tempo o estoque começou a se extinguir, forçando a Inquisição a procurar combustível em outro lugar. Foi nessa época que eles descobriram, quase por acaso, um novo e perturbador fenômeno que estava varrendo as escuras aldeias supersticiosas da Europa: as mulheres velhas.

Aturdida com a sua ignorância prévia sobre essas criaturas demoníacas, a Inquisição entrou em ação. No início, os zelosos inquisidores acharam difícil reconhecer a verdade das acusações. No entanto, com o tempo, eles compreenderam que, se a acusada fosse verdadeiramente uma mulher velha, havia uma boa chance de ela se trair ao se afogar quando mergulhada na água. Além disso, ela provavelmente também gostava de tricotar. Essas duas provas se revelaram irrefutáveis, e, portanto, condenadas pelo seu próprio comportamento desprezível, as mulheres velhas foram expostas pelo que realmente eram.

A febre das bruxas tomou a vida de milhares de pessoas, particularmente na Alemanha, onde todo mundo sempre fora um pouco louco de qualquer modo. (Menos o Adolfinho [Hitler], que era austríaco.) Ela diminuiu gradualmente mais para o final do século XVII, quando a Idade da Razão entrou em operação, mas ainda restam dúvidas na Inglaterra até hoje, porque ninguém sabe como Margareth Thatcher conseguiu viver até a idade de 284 anos.

PARTE II

# OS PAÍSES SE REVEZAM NA POSIÇÃO DOMINANTE 1500-1750 d.C.

## A Idade de Ouro da Espanha

Em 1516, o Rei Fernando da Espanha faleceu, entregando as rédeas do poder para o seu neto Carlos. Carlos era um Habsburgo austríaco nascido e criado em Flandres, mas, por meio de uma horrível idiossincrasia de intercruzamento aristocrático, ele foi capaz, de alguma maneira, de se tornar Carlos I da Espanha *e* Carlos V do Sacro Império Romano Germânico ao mesmo tempo. Ninguém conseguia realmente entender como ele tinha feito isso, e nem, mais concretamente, o que ele tinha feito com Carlos II, III e IV. Todavia isso lhe deu um império que abrangia a Espanha, a Áustria, o sul da Itália, o Novo Mundo e os Países Baixos. Mas não era fácil governar essa vastidão. Apesar do seu convincente bigode, os espanhóis nunca realmente o aceitaram como um deles e o chamavam o tempo todo de Carlos V para irritá-lo. Ao mesmo tempo, os franceses o chamavam de Carlos I e insistiam em afirmar que isso significava que o sul da Itália e os Países Baixos pertenciam a eles, ocasionando constantes hostilidades, agora perigosamente conduzidas com mosquetes e canhões.

Já em 1556, o pobre rei estava exausto e prontamente se retirou para um mosteiro, onde os monges, de o chamavam de Carlos III. Consta que as suas últimas palavras foram: *"Si quel est un Golden Age,*

*entonces yo es el rey de Sweden"*.* O seu espanhol sempre fora, na melhor das hipóteses, rudimentar. A sua sensata ordem no leito de morte foi dividir o império em dois, com a parte espanhola e holandesa indo para o seu filho Felipe II, e o Sacro Império Romano Germânico para o seu irmão Fernando. Isso, por sua vez, causou confusão, porque Fernando parecia muito mais um tipo de nome espanhol do que Felipe, e as pessoas se perguntavam se Carlos não teria invertido as coisas. Felipe, porém, logo resolveu isso reiniciando a Inquisição, o que era uma coisa de natureza muito espanhola.

Felipe favorecia fortemente o catolicismo e passou a maior parte do seu reinado tentando convencer o resto da Europa a sentir o mesmo, geralmente amarrando as pessoas em estacas e ateando fogo às suas pernas. Ele se casou com a sanguinária Mary para fazer com que ela matasse os protestantes na Inglaterra, e quando ela morreu, ele pediu a sua irmã Elizabeth em casamento para que ela pudesse continuar a boa obra. Quando Elizabeth recusou o seu pedido, romântico como era, o rei tentou cortejá-la com a Armada Espanhola.

Isso, é claro, tornou-se a cena de um dos melhores episódios históricos da Inglaterra, envolvendo o efeminado aventureiro *sir* Francis Drake. Quando 130 navios espanhóis foram avistados ao largo da costa de Plymouth, o apático Drake ainda estava em casa brincando frivolamente com seu novo aparelho de chá. Ao ser avisado do grave perigo que a Inglaterra estava enfrentando, consta que ele teria comentado: "Ah, combater os espanhóis pode ser difícil, mas a armada...", protelando a reação da marinha por várias horas enquanto eles tentavam entender o que ele queria dizer. Finalmente, a marinha inglesa partiu em perseguição pelo Canal, lidou de forma dura com os pusilânimes espanhóis e criou um vento protestante para soprá-los para o mar da Irlanda. Muitos navios afundaram, e os espanhóis foram obrigados a voltar para casa, enquanto a Inglaterra se sentiu confiante de que iria controlar as ondas a partir de então.

* "Se isto é uma Idade de Ouro, então eu sou o rei da Suécia."

## A Idade de Ouro da França

À medida que a Espanha declinava, a França ascendia e, para desalento dos ingleses, tornou-se a principal nação da Europa. Em 1661, Luís XIV, com 22 anos, subiu ao trono. Luís acreditava firmemente na monarquia absoluta, como está resumido na sua famosa frase: *"L'état, c'est moi"*.*

Ele mantinha uma luxuosa corte no seu novo palácio em Versalhes. Para manter o domínio do país, obrigava os nobres mais importantes a morar com ele no palácio. Esses nobres, como condizia com o seu intelecto e *status*, dedicavam o seu tempo à discussão de assuntos vitais do Estado, como: "Eu fico bem com esta anágua de seda franzida e gravata de laço? E que tal estes calções de veludo forrados de arminho? Oh, espere, já está na hora do chá? Que tipo de *petit biscuit* será servido hoje, eu me pergunto?". É claro que a última pergunta foi ardilosa, já que a resposta era sempre Bourbon. O verdadeiro trabalho era feito por Luís e os seus talentosos ministros burgueses, como Jean-Baptiste Colbert e François Michel Louvois.

Colbert, o ministro das Finanças, era um mercenário que incentivava o crescimento da manufatura nacional à custa das importações estrangeiras. Ele impôs pesadas tarifas às mercadorias importadas e, quando essa medida falhou, simplesmente deixou que os agricultores franceses incendiassem os caminhões ingleses. Dessa maneira, a França se tornou o país mais rico da Europa. A responsabilidade de Louvois era a área militar, e ele também fez um ótimo trabalho. Com o disciplinador e notoriamente rígido general Martinet no comando, a dupla transformou o desorganizado exército francês em uma enorme força de elite que conseguia às vezes passar um dia inteiro sem fugir. Já no início do século XVIII, eles tinham 400 mil soldados, a maior e mais poderosa força que a Europa já vira.

"Ele impôs pesadas tarifas às mercadorias importadas e, quando essa medida falhou, simplesmente deixou que os agricultores franceses incendiassem os caminhões ingleses."

* "Não coma isso, é meu."

É claro que eles precisavam de muitos soldados, porque Luís os matava o tempo todo em sangrentas lutas livres europeias, como a Guerra da Sucessão Espanhola em 1701. Essa guerra teve início quando Carlos II da Espanha morreu sem filhos, deixando, por outro ato de horrível intercruzamento acidental, o neto de Luís XIV como herdeiro. Diante da perspectiva de ter Bourbon no controle tanto da França quanto da Espanha, o resto da Europa compreensivelmente declarou guerra, cujo resultado final foi que os Bourbon tiveram permissão para ocupar o trono espanhol, mas com a condição de que o Bourbon francês e o Bourbon espanhol nunca poderiam ser o mesmo Bourbon em nenhuma ocasião particular. Como ninguém conseguiu entender realmente o que isso significava, a guerra terminou.

Em 1713, a França estava devastada e falida, mas ainda era a *numéro un*. Embora estivesse com frequência ocupada demais para reparar, ela havia acabado de atravessar uma Idade de Ouro, com diversos engenhosos dramaturgos e artistas que eram provavelmente muito famosos na França. O restante da Europa submissamente imitou a linguagem, a etiqueta, a moda e a comida da França, reclamando o tempo todo do quanto odiavam o país. *Plus ça change...*,* como diriam os franceses.

## A Idade de Ouro das verrugas de Oliver Cromwell

### A GUERRA CIVIL INGLESA

Os puritanos, seguindo o exemplo do seu fundador, João Calvino, eram um bando despreocupado de amáveis praticantes religiosos, cujo único desejo era viver em paz para poder se dedicar aos seus *hobbies*: a prece silenciosa, a meditação tranquila e a decapitação monárquica. Alguns deles já tinham partido para os Estados Uni-

---

* Quanto mais as coisas mudam... (A expressão completa é: Quanto mais as coisas mudam, mais ficam iguais. – N. dos T.)

dos para fazer exatamente isso, apenas para descobrir, com frustração, que o primeiro rei que desejavam decapitar tinha ficado para trás na Inglaterra. Esse rei era Charles I, um monarca absoluto que vivia fazendo com que as pessoas lhe emprestassem dinheiro embora não tivesse a menor intenção de ressarci-las.* Charles precisava desse dinheiro para alimentar um grandioso e incontrolável hábito de comprar perucas.

Os empréstimos forçados possibilitavam que o rei governasse sem a inconveniência de convocar o parlamento. Com o tempo, porém, tendo obtido empréstimos de todo mundo no país inteiro, inclusive de Roger, o seu *hamster* de estimação, ele ficou sem dinheiro. Obrigado, finalmente, a consultar o parlamento, ele exigiu então que eles lhe comprassem uma peruca de difícil manuseio e tão grande que demandaria a construção de uma nova ala inteira no palácio. Para os parlamentares, isso foi demais e, tendo esperado tanto tempo para se reunirem em uma sessão, eles não se levantaram novamente durante dois anos. Os puritanos, exibindo o tipo de criatividade e imaginação pelas quais eram famosos, o chamaram de Longo Parlamento.

Os membros do Longo Parlamento disseram que só emprestariam o dinheiro a Charles se este aceitasse certas condições, como providenciar a execução do seu autoritário arcebispo, William Laud. A princípio, Charles não fez objeção a isso, já que havia uma chance de ele conseguir pegar a coroa do arcebispo a caminho da sesta. No entanto, alguns dias depois, ele mudou de ideia e declarou uma guerra civil.

O exército real foi apelidado de Cavaliers, em virtude de sua cômica incapacidade de vencer quaisquer batalhas sérias, enquanto os parlamentares eram chamados de Cabeças Redondas, para celebrar ninguém sabe realmente o quê. As primeiras batalhas da guerra foram inconclusivas, mas, em 1643, os dois lados se encon-

* É claro que hoje em dia isso lhe teria valido uma excelente bonificação no Royal Bank of Scotland.

traram em Marston Moor, onde o líder dos parlamentaristas, Oliver Cromwell, conduziu um ataque da cavalaria que arrasou os flancos reais. Charles fugiu, e York caiu nas mãos dos puritanos. Um ano depois, Cromwell formou o Novo Exército Modelo, no qual removeu todos os comandantes políticos amadores e os substituiu por soldados de plástico profissionais, possibilitando assim que o seu exército boiasse na banheira. Isso o ajudou a vencer a última batalha em Naseby, quando, em uma audaciosa mudança de estratégia, ele conduziu um ataque da cavalaria que arrasou os flancos reais.

O NOVO EXÉRCITO MODELO DE CROMWELL – OS SOLDADOS PODIAM BOIAR NA BANHEIRA.

Charles foi capturado e levado para Hampton Court, de onde ele logo protagonizou uma dramática cena de fuga ao sair andando pela porta da frente disfarçado de si mesmo. Nesse meio-tempo, o parlamento estava em um estado de alvoroço* tentando decidir se deveria ou não executá-lo, com os Levellers, Diggers, Snoggers

* *Plus ça change...*, outra vez.

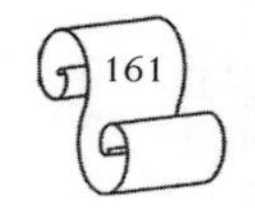


e Shaggers dizendo que sim e os Piggers, Doggers, Rockers e Dockers defendendo um acordo. Em 1648, contudo, o rei cometeu o erro fatal de se aliar aos escoceses e invadir o norte da Inglaterra. Isso deu aos Snoggers e Shaggers a desculpa que precisavam e, depois de cortarem em pedaços o parlamento até que somente ficassem os restos,* votaram 26 a 20 (com 24 abstenções graças à câimbra) a favor de executá-lo. E foi assim que no dia 30 de janeiro de 1649, diante de uma multidão silenciosa em Whitehall, Charles finalmente perdeu a cabeça. Esse momento é amplamente considerado um marco do fim do seu reinado.

## A GRÃ-BRETANHA SE TORNA UMA DEMOCRACIA (ATÉ CERTO PONTO)

De 1649 a 1660, a Inglaterra não teve nenhum rei e chamou a si mesma de Comunidade Britânica de Nações, graças a toda a riqueza que estava sendo concentrada nas mãos de alguns nobres proprietários de terras. Cromwell anunciou que, para compensar os anos de intolerância religiosa de Charles e do arcebispo Laud, as pessoas estavam agora livres para seguir a religião que quisessem – desde que fosse do jeito puritano. Os *pubs* foram fechados e as pessoas foram proibidas de ter relações sexuais, exceto com animais do estábulo. Embora isso deixasse os galeses felizes, instigou os escoceses e os irlandeses à rebelião, e Cromwell** foi obrigado a conduzir tantos ataques de cavalaria que parecia que a Comunidade Britânica ia ficar completamente sem tropas.

Quando Cromwell morreu, a Inglaterra rapidamente voltou a ter reis de novo, o que ocasionou a infeliz sucessão ao trono de James II, que era – imaginem só – católico. Essa não era uma qualidade ideal para o rei da Inglaterra e, em um estado de alvo-

* No original, The Rump. Os restos do Longo Parlamento após a expulsão dos membros favoráveis a Charles I, em 1648. (N. dos T.)

** O nome em inglês é Commonwealth, que significa "riqueza comum". (N. dos T.)

roço, o parlamento prontamente se dividiu, como uma ameba, em dois partidos políticos, os exuberantes e aristocráticos Tories e os pudicos e puritanos Whigs. Estes últimos começaram a aprovar leis frenéticas tentando impedir que os católicos ascendessem ao trono, enquanto os Tories contra-atacaram com leis ainda mais frenéticas tentando impedir os Whigs de frequentar as suas festas. Em 1688, em absoluto alvoroço, o parlamento convidou a filha de James, Mary, e o seu marido, Guilherme de Orange, para virem da Holanda e assumirem o controle do país. Tendo se livrado rapidamente do pai de Mary, Guilherme e Mary ascenderam ao trono, agradando a todo mundo ao concordar que não estavam governando por direito divino, e sim por direito dos Membros do Parlamento que os convidaram para ir à Inglaterra. Eles eram muito tolerantes com tudo e todos, o que não causou nenhuma surpresa aos Membros do Parlamento – vários dos quais já tinham visitado Amsterdã à noite.

Quando Guilherme morreu sem deixar herdeiros, a irmã de Mary, Anne, subiu ao trono. Anne era a 52ª monarca da Inglaterra, o que, por uma incrível coincidência, é o mesmo número de semanas que compõem um ano. Isso foi emoção suficiente para Anne, que passou o resto do seu reinado fazendo um merecido repouso. Nenhum dos seus filhos sobreviveu além dos 11 anos de idade, de modo que os Whigs escolheram o rei seguinte baseados em quem estava em casa na hora que eles telefonaram. Como a Inglaterra e a Escócia tinham sido agora oficialmente unificadas pela Lei da União de 1707 – uma lei relevante que fora bem-recebida por todo mundo* – eles decidiram que provavelmente seria diplomático serem governados por um alemão.

Assim nasceu o reinado do Rei George I de Hanôver. George criou uma política de passar a maior parte do tempo fora da Inglaterra, mas longe de ficar em alvoroço; o parlamento compreendeu que isso era muito bom, pois permitiu a ascensão de *sir* Robert

* Exceto pelos escoceses e pelos ingleses.

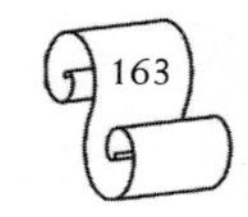


Walpole, que se mudou para a Rua Downing, 10, tornando-se assim o primeiro primeiro-ministro. Walpole era um Whig e Membro do Parlamento, e passava a maior parte do tempo tentando garantir que os Tories não entrassem em seu gabinete. Ele acabou conseguindo isso os rotulando de "jacobitas", o que, até onde qualquer pessoa conseguia discernir, era uma espécie de peixe pré-histórico. O fato de não haver evidência para isso não importava. Walpole demonstrara que alegar receber insultos não comprovados era uma maneira de ganhar eleições, e dessa forma pôde ter o mérito de ter fundado a moderna democracia parlamentar.

# PARTE III

# A EUROPA DESCOBRE O MUNDO
# 1492-1763 d.C.

## A era das explorações

Para os europeus no século XV, o mundo parecia algo assim:

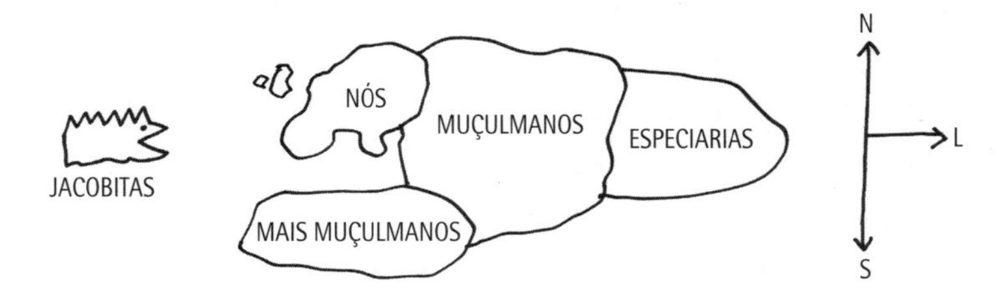


Durante séculos, os exploradores europeus medievais sonharam em descobrir uma maneira de chegar ao misterioso Leste sem ter de lançar uma cruzada para chegar lá. Infelizmente, todas as vezes que achavam que tinham encontrado um caminho, eles acordavam babando e tinham de começar a planejar tudo de novo.

No entanto, no século XV, a Europa foi abalada pela descoberta inusitada de que a madeira, quando colocada na água, tendia a flutuar. Na mesma época, mercadores que retornavam do Oriente tinham trazido bússolas magnéticas, que os sagazes eruditos europeus notaram que estavam marcadas com símbolos para o leste e o oeste. De repente, todo o conceito de "esquerda" fez sentido, e um novo horizonte acenou para eles.

As coisas decolaram com o nascimento de Henrique, o Navegador. Henrique, usando as suas habilidades de navegação inatas, conseguiu encontrar o caminho para a terra mítica de Portugal, onde abriu uma escola para pessoas com nomes incomuns, como Américo Vespúcio e Vasco da Gama. Vasco da Gama dobrou o Cabo da Boa Esperança em 1497, abrindo, dessa maneira, o caminho para Índias. Ele voltou carregado de especiarias, pois foi descoberto que o Oriente era feito delas, e a Europa, intensamente grávida, foi dominada por um repentino desejo de noz-moscada.

Nesse meio-tempo, na Itália, Cristóvão Colombo ouvira de um cara no *pub* que a Terra não era – como todo mundo imaginava – como um queijo, mas que era, na realidade, redonda, como um queijo bola. Colombo aceitou o apoio da Espanha e partiu com três navios e um compasso para tirar proveito da recém-descoberta circularidade da Terra e chegar à Índia. Setenta e três dias, dois motins e vários surtos de escorbuto depois, ele chegou às Bahamas, que não estavam situadas de jeito nenhum perto da Índia, mas tente dizer isso a um homem que teve de viver da própria urina durante dois meses. Ele considerou os nativos amistosos, embora um pouco confusos, e imediatamente reivindicou as ilhas para a Espanha.

Depois, em 1519, Magalhães partiu em uma viagem inédita ao redor do mundo, atravessando o Atlântico, contornando o Cabo Horn, entrando no Mar do Sul (cujo nome ele trocou para Pacífico, por causa da sua tranquilidade), sendo arrebentado pelas constantes ondas de quinze metros do Pacífico, comendo ratos para sobreviver, morrendo de fome, comendo serragem para sobreviver, morrendo de fome novamente, comendo o seu primeiro-tenente para sobreviver, morrendo de fome de novo, comendo a maior parte do seu navio para sobreviver, antes de finalmente chegar aliviado e triunfante nas Filipinas, onde foi imediatamente espancado até a morte pelos nativos. Somente um dos cinco navios originais sobreviveu à viagem. No entanto, com o tempo, o seu capitão, Sebastián del Cano, conseguiu voltar à Europa, provando com isso para o mundo, de uma vez por todas, que estava na hora de a Europa começar a construir navios melhores.

## A caça aos impérios

Em breve, explorar o mundo não foi suficiente para as grandes nações marítimas. Em um histórico empreendimento conjunto, Espanha e Portugal decidiram conquistá-lo e depois também destruí-lo. Entretanto, para tornar essa tarefa mais interessante, eles criaram uma regra pela qual nenhuma conquista poderia ser empreendida com um exército maior do que, digamos, um time de basquete. Fernando Cortez* tomou a iniciativa em 1519, conquistando o poderoso império asteca com a ajuda de três companheiros e um cavalo. No entanto, ele logo foi superado pelo seu compatriota Pizarro, que conseguiu conquistar os todo-poderosos incas apenas com a ajuda de um camundongo adestrado e o seu cachorro Jack. A partir dessas bases no México e no Peru, os espanhóis se deslocaram para as Américas do Norte e do Sul, colonizando, convertendo ao catolicismo e escravizando aonde quer que fossem.

"Fernando Cortez tomou a iniciativa em 1519, conquistando o poderoso império asteca com a ajuda de três companheiros e um cavalo."

As doenças e os maus-tratos logo puseram fim aos índios locais – a população mexicana, por exemplo, caiu de 10 milhões em 1519 para apenas 1,5 milhão um século depois, tudo conseguido sem a ajuda de sacrifícios humanos aos seus inúmeros deuses. Entretanto, quando ficaram sem índios, os espanhóis se deram conta de que poderiam simplesmente importar escravos negros da África, entregues em convenientes embalagens do tamanho de navios vindos do Atlântico. As pessoas no comando desse lucrativo comércio no século XVI eram os portugueses, os quais, como parte do seu acordo com os espanhóis, haviam concentrado o seu genocídio na África e na Índia.

---

* Consulte a página 116.

Com entrepostos comerciais espalhados por todo o Pacífico, de Macau a Timbuktu, eles enchiam os seus barcos até a borda com especiarias da Ásia e escravos da África Ocidental. É claro que havia a concorrência dos mercadores árabes, mas os portugueses velejavam com canhões, com os quais atiravam nos árabes quando eles se aproximavam demais. Ainda assim, os navios pesadamente carregados frequentemente afundavam nas águas turbulentas do oceano, às vezes – tragicamente – com especiarias a bordo.

Nesse meio-tempo, holandeses, franceses e ingleses observavam a maneira como os exploradores espanhóis viajavam pelo mundo, semeando morte, doença e destruição aonde quer que fossem, e pensaram: "Isso parece divertido". A Holanda, disfarçada com sua nociva multinacional Companhia Holandesa das Índias Orientais, assumiu o controle de grande parte do comércio de especiarias e estabeleceu uma colônia na África do Sul. Os franceses optaram pelo Canadá, com o qual toparam, acidentalmente, a caminho da Passagem do Noroeste. A colonização canadense cresceu lentamente, graças à dificuldade que as pessoas tinham de localizar o Canadá no mapa. No entanto, no século XVIII, ele já tinha 60 mil habitantes.*

Restaram os ingleses. A sua primeira verdadeira experiência na América aconteceu em 1607, quando James I outorgou à London Company concessão para estabelecer uma colônia permanente em Jamestown, na Virgínia. O que a London Company Londres não sabia, contudo, era que essa era uma das infames "cartas-pegadinha" de James I porque – veja bem – não havia nenhuma cidade chamada James na Virgínia! Portanto, a maioria dos seus funcionários morreu de fome tentando encontrá-la. Os colonizadores seguintes foram, é claro, os puritanos em 1620. Eles tiveram mais sorte, graças à prestimosidade dos índios americanos, que lhes ofereceram um peru, ensinando-lhes desse modo o verdadeiro significado

---

* Apenas alguns a mais do que a população atual do Canadá.

do Natal. Embora a vida fosse dura, eles conseguiram gerar calor nas longas noites de inverno ateando fogo a supostas bruxas.

Com o tempo, chegaram mais pessoas, e em 1732 havia treze colônias espalhadas pela costa leste. Elas atraíram desajustados de toda a Europa – judeus, alemães, irlandeses, italianos, Piers Morgan – e todos viviam juntos em um caldo cultural. Como muitos eram pobres e analfabetos, foram obrigados a inventar uma linguagem primitiva e rudimentar para poder se comunicar uns com os outros. Essa língua se tornou conhecida como inglês americano. Os colonos cultivavam tabaco e algodão para exportar para casa. É claro que para fazer isso eles precisavam de trabalhadores, e, depois de uma breve e insatisfatória experiência de tentarem fazer eles próprios o trabalho, rapidamente optaram pelos escravos africanos.

## A Grã-Bretanha assume a posição dominante

A formação de impérios se revelou um exercício extremamente lucrativo. Uma quantidade tão grande de ouro estava sendo levada para a Europa que esse metal agora era mais abundante do que os ratos e o esterco, o que causou uma dramática mudança na alimentação das pessoas. Os lucros aumentaram vertiginosamente, e os homens ricos se apressaram em investir nas implacáveis companhias que tinham recebido o monopólio do comércio. Surgiram os bancos nacionais, bem como a primeira bolsa de valores em Amsterdã. A Lloyd's de Londres começou até mesmo a vender seguros para a eventualidade de o comércio ser abalado pela guerra, por incêndios etc.

Isso levou a um período de guerras internacionais, conduzidas, como de costume, com fogo. Essas guerras tinham duas regras.

1. Teriam de ser extremamente confusas para que ninguém, jamais, tivesse a menor ideia do lado em que estava lutando.
2. Exceto a Grã-Bretanha, que sempre vencia.

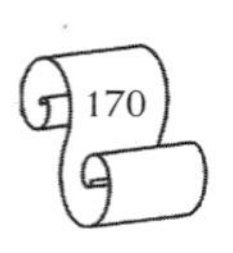


Em 1701, a Guerra da Sucessão Espanhola irrompeu na Europa, enquanto, na América, a Guerra da Rainha Anne começou mais ou menos na mesma época. Durante onze anos, guerras foram travadas simultaneamente nos dois continentes, e ninguém fazia ideia do que estava acontecendo. Foi somente em 1713, quando a Guerra da Sucessão Espanhola terminou e as hostilidades na América também cessaram misteriosamente, que as pessoas compreenderam a resposta: as duas eram a mesma guerra! Todo mundo deu então uma boa risada a respeito disso, especialmente a Grã-Bretanha, que, desnecessário dizer, tinha vencido.

Em 1739, a Grã-Bretanha e a Espanha travaram a Guerra da Orelha de Jenkins, que recebeu esse nome por causa de um capitão-mercante inglês que tivera a orelha decepada pela guarda costeira espanhola. Foi um conflito que ninguém acreditava que pudesse estar realmente acontecendo até que o Capitão Jenkins efetivamente mostrou a todo mundo a sua orelha decepada e revelou que, seguramente, uma guerra estava ocorrendo. Ela foi finalmente dirimida, sem que ninguém ganhasse, com antibióticos. Em seguida, houve a Guerra da Sucessão Austríaca, chamada de Guerra do Rei George em inglês americano; e depois dela, em 1756, houve a Guerra dos Franceses e Índios ou Guerra dos Sete Anos. Essa foi a guerra mais confusa de todas, porque parecia que os franceses estavam lutando contra os índios quando na verdade estavam ambos do mesmo lado. Mas se era esse o caso, contra quem eles estavam lutando? A Grã-Bretanha estava envolvida? Se não estava, poderia se esperar que ela vencesse? Além disso, os índios eram realmente índios? Não eram nativos americanos? Neste caso, o que estavam fazendo na Índia?

Essas eram perguntas que assolavam a Europa no século XVIII. Em 1763, todos estavam tão exaustos que assinaram o Tratado de Paris para que finalmente pudessem ter um pouco de paz e tranquilidade. Apesar de alguma confusão tardia durante a longa reunião de cúpula, quando os exauridos negociadores tentaram dar a França para os índios, o tratado confirmou os benefícios de

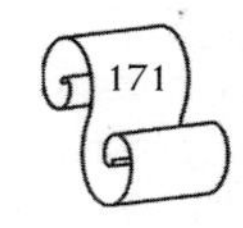


guerra da Grã-Bretanha. Ela havia tomado todas as possessões da França na América do Norte, e agora dividia o continente com a doentia Espanha. Ela também ficou com os postos avançados da França, na África, e assumiu o controle do comércio na Índia. Isso conferiu a ela o maior império colonial do mundo e assinalou a sua chegada como a nação dominante oficial da Europa.

# 7

# REVOLUÇÃO, BABY

## (1700-1815 d.C.)

### Introdução

Enquanto a Europa se precipitava no início do Período Moderno, ela se sentia muito bem consigo mesma. Nos dois séculos anteriores, ela havia passado por uma renascença: tinha conquistado o mundo, inventado o capitalismo e garantido uma quantidade de especiarias suficiente para atender a vários pedidos de comida indiana para viagem. O melhor de tudo para a Europa é que ela era agora dominada pela Grã-Bretanha. No entanto, como sempre, a mudança estava a caminho. Na realidade, mais do que a mudança. Revoluções. Uma Revolução Americana, uma Revolução Francesa, uma Revolução Industrial e até mesmo uma Revolução Científica. Já em 1815, o mundo seria um lugar bem diferente: iluminado pela razão, encantado pela traição e submerso em uma mistura de neblina e fumaça.

# PARTE 1

# A IDADE DA RAZÃO 1700-1800 d.C.

## A Revolução Científica

Para as pessoas na Idade Média, havia certas verdades imutáveis e inegáveis a respeito do mundo em que viviam:

1) Ele era plano.
2) Ele estava no centro do universo.
3) Ele tinha levado seis dias para ser construído.
4) Ele era uma grande merda.

Essa não foi uma época em que as pessoas pensavam muito a respeito da razão e da lógica. Tudo o que existia na Terra, por mais sem sentido que fosse, fazia parte do grande desígnio de Deus. O mundo estava claramente precisando de uma séria modernização, e a partir do século XVI um grupo de intrépidos europeus começou a trabalhar em prol disso. Magalhães, é claro, tinha acabado com a primeira verdade provando que a urina podia ser bebida igualmente em grandes quantidades tanto no Hemisfério Norte quanto no Hemisfério Sul. A segunda verdade, contudo, foi mais difícil de encarar, graças ao consagrado costume da Igreja de atear fogo a qualquer pessoa que discordasse dela. Copérnico foi o primeiro a mencionar a sua potencial falácia, mas as suas afirmações não foram levadas a sério porque ele era um monge e, como tal, não tinha o direito de usar uma peruca grotescamente grande e ridícula.

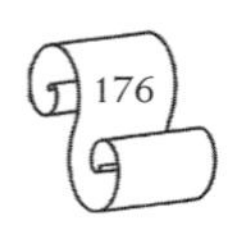

Tycho Brahe e Kepler forneceram mais evidências por meio de observações astronômicas, mas foi somente quando Galileu foi perseguido pela Igreja em 1632 por espalhar desprezíveis mentiras heréticas que as pessoas começaram a se dar conta de que aquilo provavelmente era verdade.

*Sir* Isaac Newton finalmente resolveu a questão mais adiante no século, concebendo uma série de leis que regulavam como os planetas deveriam se mover a partir de então. Elas foram chamadas de as Três Leis de Newton e criaram inicialmente uma grande agitação no sistema solar, já que a penalidade por violá-las envolvia ir de encontro ao Sol. Resumidamente, elas diziam que: (1) Todos os planetas precisam permanecer no seu estado atual de movimento, a não ser em caso de emergência; (2) Toda ação precisa ter uma reação, de modo que, por exemplo, se um planeta atravessar a órbita de outro planeta sem sinalizar, o segundo planeta tem o direito de sair do seu veículo e dar um soco nos trópicos do primeiro planeta; (3) É proibido estacionar em Urano.

Newton se tornou o modelo principal da nova onda de cientistas, dirigindo a Royal Society em Londres e publicando trabalhos sobre os mais diversos assuntos, entre eles, matemática e alquimia. Ele faleceu em 1727, aos 248 anos de idade, tendo o seu crânio

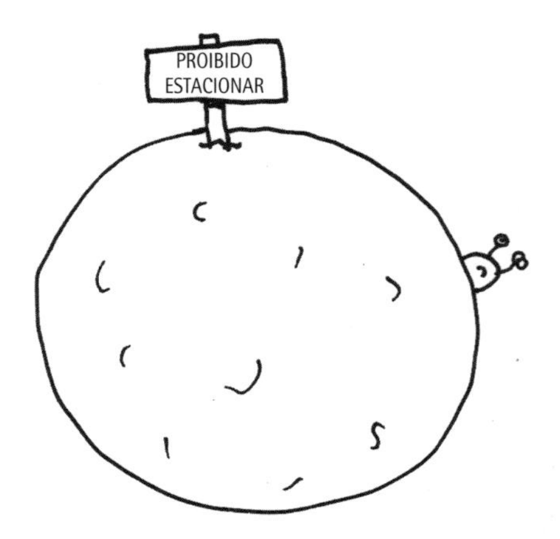


A TERCEIRA LEI DE NEWTON: É PROIBIDO ESTACIONAR EM URANO.

tragicamente esmagado por uma maçã que caiu da árvore. Foi a vingança da natureza por ele ter descoberto o segredo da gravitação universal. As suas leis, contudo, subsistiram e são obedecidas até hoje pela maior parte dos principais planetas, exceto nas proximidades dos Buracos Negros.

## O Iluminismo

Enquanto os cientistas criavam leis para governar o universo, os filósofos franceses trabalhavam em suas teorias sobre como beber a maior quantidade possível de vinho tinto sem ninguém perceber que eles não tinham pagado por ele. Isso ficou conhecido como Iluminismo e marcou o início de uma era de democracia, igualitarismo e bebidas grátis.

As duas figuras mais importantes do Iluminismo foram Voltaire, o inventor da bateria, e Jean-Jacques Rousseau, produtor de filmes subaquáticos. Voltaire se tornou o porta-voz do movimento com a sua cruzada contra a injustiça, a tirania e a corrupção. Isso frequentemente conduzia a desentendimentos com Luís XV, porque, por uma incrível coincidência, injustiça, tirania e corrupção eram as três coisas que o rei vinha planejando usar como base para o seu governo. O escritor vivia sendo preso e levado para a Bastilha, então, no momento em que era solto, ele anunciava a sua liberdade com palavras como: "Em geral, a arte de governar consiste em tirar o máximo possível de dinheiro de uma classe de cidadãos e dá-lo para a outra", em consequência do que ele era imediatamente jogado novamente na Bastilha.

Rousseau, seu contemporâneo, geralmente evitava a prisão, mas compensava isso sendo antipático, paranoico e delinquente sexual. É claro que o fato de ele ser paranoico não significava que as pessoas não o odiassem, porque elas de fato o odiavam; e gostavam quando ele era chicoteado pela irmã do diretor da sua escola. No entanto, apesar disso, Rousseau era um grande pensador, que acreditava na nobreza do selvagem e espalhou a ideia de que o governo deveria se basear na soberania popular. Foi ele quem criou a conhecida frase "*liberté, egalité, fraternité*"* e declarou certa vez "O homem nasce livre e está acorrentado por toda parte", um estado no qual ele gostava de se encontrar sempre que podia.

## Déspotas iluministas: prussianos e austríacos

A Prússia era um desses estados que ninguém levava muito a sério até que ele, de repente, ficou grande demais para ser controlado, mais ou menos como o ego de gente maluca de Hollywood como Tom Cruise, por exemplo. A Prússia conseguiu isso em um estilo verdadeiramente germânico, participando de todas as guerras importantes que conseguiu encontrar e, quando não conseguia encontrar nenhuma, tomando ela própria a iniciativa. O homem mais responsável por isso foi Frederico, o Grande, que ascendeu ao trono em 1740. A ambição de Frederico era travar guerra com todas as raças de pessoas no mundo inteiro, inclusive os austríacos, franceses, poloneses, russos, suecos e, até mesmo, em um determinado momento, os antigos assírios, se ele encontrasse alguns deles por aí.

Por mais estranho que pareça, isso não parecia um rumo provável durante os primeiros anos de Frederico. Quando criança, ele estivera mais interessado em ler filosofia, tocar flauta e escrever poesia do que em liderar viris exércitos prussianos. A coisa chegou a um ponto em que o seu pai estava até mesmo começando a desconfiar de que o seu filho era um iluminista. Inicialmente, ele tentou retirar Frederico dessa situação por meio da razão, mas, quando viu que isso não daria certo, ele simplesmente o colocou na prisão. Isso deu conta do recado, e a partir desse ponto Frederico se tornou tão imprevisivelmente agressivo quanto qualquer alemão. Isso, porém, não o deixou inteiramente curado do seu iluminismo. Frederico passou grande parte do seu reinado tolerando

* "Macio, forte e muito grande."

religiões, melhorando a educação, apoiando as artes e proibindo a tortura judicial. Essa proibição, é claro, logo se tornou uma grande dor de cabeça para os membros da força policial prussiana, até que eles se deram conta de que poderiam conseguir todas as confissões falsas que precisavam obter por meio da outra grande paixão de Frederico, a ópera alemã.

Frederico compartilhava os seus métodos iluministas com o seu rival Habsburgo – José II da Áustria. O iluminismo de José se baseava em sequestrar crianças prodígios com talento para a música, como Mozart, que o imperador vestia com roupas cheias de babados, obrigando-as a apresentar na corte vigorosos concertos para piano diante de um grande público. Isso, é claro, deixou o seu vizinho Frederico louco de inveja, e o resultado foi 23 anos de uma guerra quase constante entre os dois. Frederico acabou ganhando essa guerra, descobrindo, porém, para o seu desespero, que Mozart havia crescido a essa altura e começara a frequentar a escola. Ele teve então de se contentar em roubar a rica província da Silésia, a qual ele adicionou ao florescente território da Prússia.

## Déspotas iluministas: russos

Nesse meio-tempo, a Rússia ainda estava vivendo sua própria história, embora não fosse uma coisa à qual as pessoas prestassem muita atenção. Em 1682, contudo, um novo czar chamado Pedro, o Grande, subiu ao trono e imediatamente começou a colocar a Rússia em um novo caminho. Ele tinha apenas 10 anos de idade, mas era mais esperto do que todos os outros meninos da sua turma e, com dois metros de altura, era capaz de enxergar mais longe do que qualquer governante russo da história. Na realidade, a sua visão se estendeu até a Europa Ocidental, e ele a visitou logo no início do seu reinado para tentar descobrir os seus segredos. Ele chegou até mesmo ao ponto de trabalhar como carpinteiro na Holanda para aprender a arte da construção naval, até que foi apanhado tentando levar trabalho para casa.

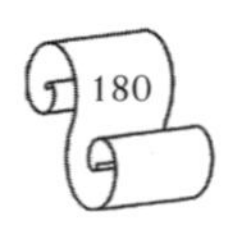



De volta à terra natal, ele começou a modernizar o seu país. Iniciou com coisas pequenas, revolucionando o sistema educacional da Rússia, por exemplo, as suas instituições administrativas e a antiquada estrutura agrícola do país, avançando então para questões mais essenciais como fazer com que os homens raspassem a barba e obrigar as mulheres a usar blusas mais curtas para que se parecessem mais com os manequins que ele vira nas vitrines de Amsterdã. Em seguida, ele se dedicou a aprimorar o exército. O exército russo nessa época não era levado muito a sério no Ocidente, devido ao fato de a sua principal tática militar consistir em atrair os inimigos para vastas planícies expostas ao vento e esperar que eles congelassem lentamente na neve. Pedro, contudo, determinou-se a mostrar que os russos estavam quase à altura dos prussianos. Ele ampliou e reorganizou o exército e criou uma marinha. Depois, apenas para ter alguma coisa para fazer, declarou guerra à Suécia.

"Catarina se considerava uma déspota iluminista porque ela às vezes ouvia música clássica na banheira."

Depois da morte de Pedro, em 1725, a Rússia teve alguns governantes inúteis durante algum tempo, até que a princesa alemã Catarina, a Grande, conseguiu sutilmente chegar ao trono assassinando o marido. Assim como Frederico e José, Catarina se considerava uma déspota iluminista porque ela às vezes ouvia música clássica na banheira. Ela também obrigava os seus nobres a falar francês, uma língua que os seus criados miseráveis naturalmente não conseguiam entender. Isso provavelmente era bom, já que os nobres tendiam a dizer coisas como "Ivã, velho amigo, o que você quer para o jantar hoje à noite, camponês assado no forno ou servo frito?". Com o tempo, porém, isso conduziu a um enorme levante dos camponeses, que Catarina, genuinamente descontente com o fato de seus súditos estarem tão infelizes com o seu governo iluminado, brutalmente esmagou com o exército.*

* Em francês.

Então, o que tornou Catarina grande? Bem, não foi a sua lasanha vegetariana. Mais exatamente, foi a guerra com os turcos otomanos, que estavam agora se acomodando confortavelmente no seu papel de homens doentes da Europa. Ela os derrotou rapidamente e só foi impedida de exterminá-los completamente por apelos de outros líderes europeus, que temiam não ter condições de pagar a conta dos médicos. A Rússia conquistou alguns portos no Mar Negro, um protetorado da Crimeia e obteve um passe livre através do território otomano até a costa do Mediterrâneo, o que era excelente durante as férias.

# PARTE 11

# A ERA DAS REVOLUÇÕES 1763-1815 d.C.

## A Revolução Americana

Por que os americanos estão sempre se revoltando? Essa era a pergunta nos lábios da Grã-Bretanha quando ela entrou no fatídico ano que se tornaria conhecido no mundo inteiro como 1763. A Grã-Bretanha realmente não conseguia entender o motivo. Ela tinha o melhor sistema de governo do mundo, com a sua monarquia constitucional muito bacana e, naquela época, somente com uma decapitação ocasional de esposas, e tudo o que exigia das colônias em troca era a obediência cega ao insano e tagarela rei da Grã-Bretanha e todo o dinheiro delas. O que estava errado com esse povo? Os americanos, contudo, achavam que pagar impostos para um país que não apenas estava a 5 mil quilômetros de distância mas que também tinha um sistema de ortografia completamente diferente não fazia sentido, de modo que, quando a Grã-Bretanha tentou impor um novo imposto do Selo para custear a guerra dos franceses e dos índios,* os americanos, como faziam desde a infância, tentaram processá-los.

Os britânicos rapidamente cederam às exigências porque, embora as treze colônias tivessem uma população combinada de

* Ou seja lá o quer for.

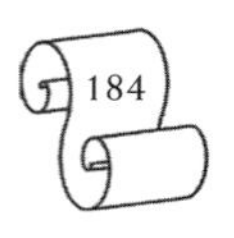


apenas um milhão e meio de pessoas, quase 90% delas eram advogados. Com o incentivo do esperto e incoerente George III, eles tentaram dissipar a tensão anulando o velho e impopular Imposto do Selo e substituindo-o por um imposto exatamente igual, que eles chamaram de Imposto Townshend apenas por causa da sua sonoridade. Infelizmente, os colonos enxergaram através desse estratagema engenhoso e ficaram tão furiosos que inundaram o porto de Boston com chá. Os britânicos ficaram indignados, já que os grosseiros americanos tinham derramado primeiro o leite e nem tinham se dado ao trabalho de aquecer o bule, e, em total alvoroço, o parlamento aprovou as Leis Intoleráveis, as quais, entre outras coisas, tornavam ilegal o fato de os colonos americanos passarem uns pelos outros na rua sem dizer "Tenha um bom dia!" em uma voz alta e irritantemente amistosa. Nessas circunstâncias, a guerra parecia inevitável, particularmente quando, na primavera de 1775, soldados britânicos e americanos começaram a atirar uns nos outros.

Teve então início a Batalha de Lexington, que recebeu esse nome em homenagem a um dos seus mais proeminentes protagonistas, Paul Revere. Ninguém sabia quem tinha vencido, já que a batalha ocorreu à noite. No entanto os americanos claramente acharam que tinham sido eles, porque pouco depois declararam a sua independência. Eles fizeram isso por meio de um documento histórico chamado Declaração da Independência, redigido por Thomas Jefferson, um virginiano alto, dono de escravos, que acreditava que todos os homens eram criados da mesma maneira, exceto aqueles que pertenciam a ele.

A guerra continuou durante os oito anos seguintes, mas os colonos finalmente venceram depois de descobrirem uma falha pequena, porém fatal, na estratégia britânica: todos os soldados da Grã-Bretanha ainda estavam na Inglaterra. Eles celebraram a sua recente liberdade redigindo uma constituição baseada no princípio de cheques e saldos, permitindo que o governo preenchesse cheques para si mesmo sem se preocupar com o fato de o orçamento nunca estar equilibrado. Isso se tornou uma inspiração

para futuros governos democráticos no mundo inteiro. Alguns anos depois, eles adicionaram emendas à constituição, garantindo aos cidadãos americanos certos direitos básicos e inalienáveis, como a liberdade de comprar revólveres completamente carregados nas máquinas automáticas e usá-los em qualquer pessoa que ameaçasse, digamos, passar por eles olhando-os com uma cara "suspeita". Os britânicos foram embora rapidamente, assim como os franceses e os índios. De repente, o Louco Rei George não pareceu tão maluco, afinal de contas.

## A Revolução Francesa

### AS CAUSAS DA REVOLUÇÃO FRANCESA

Quais foram as causas da Revolução Francesa? Essa é uma pergunta que, num sentido muito real, seguramente apareceria no vestibular, possibilitando que gerações de colegiais decorassem a resposta com antecedência. A resposta que eles sempre davam, é claro, era "a Festa do Chá em Boston". Isso acontecia porque eles estavam na adolescência e só pensavam em festas.

A verdadeira resposta tinha mais a ver com pão do que com chá, pois o rei francês e os seus nobres o comiam sempre que tinham vontade, enquanto os habitantes da cidade e os camponeses só podiam saboreá-lo em determinadas ocasiões, por exemplo, quando eram usados para atirar nos miseráveis condenados ao tronco. Havia também o problema da tributação. No sistema vigente, os clérigos e os proprietários de terras estavam dispensados de pagar impostos – simplesmente porque não queriam. Toda a carga tributária recaía sobre os membros do assim chamado Terceiro Estado, que abrangia todo mundo – desde a burguesia abastada até os camponeses corcundas necessitados. Isso já era bastante ruim quando os tempos eram abundantes, mas no final do século XVIII o preço crescente dos alimentos, aliado aos custos ascendentes das perucas de Maria Antonieta, conduziu a um grande

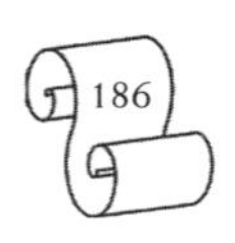


descontentamento. Para piorar ainda mais as coisas, a França estava falida, e Luís XVI compreendeu que a única maneira de pagar a mais recente visita da esposa ao cabeleireiro era aumentando os impostos. Infelizmente, ninguém no Terceiro Estado tinha mais nada para ser tributado, de modo que Luís pesarosamente se voltou para a nobreza.

Os nobres ouviram com atenção a proposta do seu rei de tributá-los, mas argumentaram convincentemente contra a medida alegando que preferiam não pagar impostos. Essa complexa posição legal convenceu Luís de que ele precisava de ajuda, então ele convocou uma reunião dos Estados-Gerais. Os Estados-Gerais eram um órgão obscuro que tinha se reunido pela última vez 175 anos antes, e todo mundo estava muito animado com o ressurgimento dele, embora ninguém conseguisse se lembrar bem do motivo de sua existência e quem fazia parte dele. O Primeiro e o Segundo Estados, que representavam o clero e a nobreza, se lembravam dele como um órgão respeitável que discutia os problemas mais prementes da terra e, depois de uma cuidadosa consideração, votaram 2 a 1 para não fazer nada a respeito deles. O Terceiro Estado, contudo, achou que isso não era justo, considerando que eles representavam aproximadamente 99% da população, e fizeram pressão em favor de um sistema de um voto para cada homem. Quando o rei se recusou a decidir a questão, o Terceiro Estado abandonou o local e realizou a sua própria assembleia em uma quadra de tênis nas proximidades. Luís ficou fora de si e frustrado, porque os representantes estavam exatamente onde ele queria dar o saque, e ele finalmente não teve escolha a não ser aceitar as exigências deles.

"A França estava falida, e Luís XVI compreendeu que a única maneira de pagar a mais recente visita da esposa ao cabeleireiro era aumentando os impostos."

Ao mesmo tempo, contudo, ele estava determinado a não deixar a situação fugir do controle e maquinou uma trama secreta para chamar o exército das províncias. Infelizmente, a marcha clandestina do exército para Paris foi traída pelo barulho dos tambores que

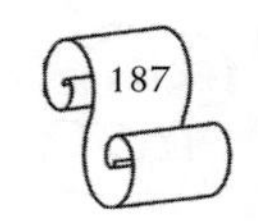


os soldados tinham de rufar para marcar o compasso, e o tumulto irrompeu na capital. No dia 14 de julho, multidões enfurecidas, detectando a oportunidade de criar um feriado nacional, invadiram a Bastilha em busca de armas, e a cidade caiu com o comando revolucionário do herói de guerra general Lafayette. O resto da França passou então por um Grande Medo, já que todo mundo, de repente, ficou tomado de pavor por todas as outras pessoas. A população da cidade atacava o clero, o clero atacava os camponeses, os camponeses atacavam os nobres, os nobres atacavam os servos, e os servos – que nunca deixavam escapar uma oportunidade – atacavam os carneiros. A Revolução havia começado.

## A ASCENSÃO DA GUILHOTINA

Em meio a esse tumulto, os Estados-Gerais, agora dominados pela burguesia, deram início à votação de uma nova constituição para a França. No dia 27 de agosto, eles redigiram a Declaração dos Direitos do Homem, que proclamava que todos os homens eram iguais até o momento em que nasciam. Alguns dias depois, uma corajosa dona de casa parisiense chamada Olympe propôs uma Declaração dos Direitos da Mulher, que a Assembleia Nacional debateu cuidadosamente em uma sessão fechada, antes que os seus membros rissem tanto a ponto de quase desmaiar. Finalmente, eles produziram uma constituição, dividindo a França entre os poderes executivo, legislativo e judiciário, cada um deles cuidadosamente projetado para neutralizar o trabalho dos outros dois. A poderosa Assembleia Legislativa era composta da burguesia abastada cujos membros se tornaram conservadores, radicais ou moderados, dependendo das cadeiras que estavam vagas no salão de reuniões. Os conservadores *feuillants* tomaram os assentos da direita, e os radicais jacobinos, os da esquerda, deixando os moderados pendurados precariamente no teto.

Em 1792, eles foram instigados a uma união temporária por causa de uma invasão da Áustria e da Prússia, que tinham chegado

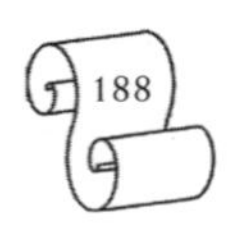


à conclusão de que não gostavam da ideia de homens com direitos tão perto das suas fronteiras. No pânico que se seguiu, Paris caiu sob o domínio de um grupo de hippies radicais que transformaram a cidade em uma comunidade. Eles prenderam o rei e obrigaram a Assembleia Legislativa a começar a redigir uma nova constituição.

A nova constituição se baseava no princípio de executar qualquer coisa que passasse muito perto da guilhotina. Eles começaram pelo rei em 1793 e, depois que isso se revelou um sucesso, deram continuidade ao processo com a esposa dele, os ministros, os conselheiros, os cortesãos, os cachorros, os brinquedos, as laranjas, os nabos, na verdade tudo o que era vagamente arredondado. Eles então se voltaram para o resto da população. Incentivados por um maluco chamado Robespierre, os jacobinos espalharam a notícia de que a Revolução era a cura para todos os problemas mais sérios da França, inclusive o bafo de alho, no que, em certo sentido, ela teve alguma influência.

O Terror só terminou quando alguns dos associados mais moderados de Robespierre o convenceram a maneirar a sua perseguição.* Isso deu tempo à Assembleia Legislativa de fazer várias contribuições importantes para a sociedade europeia, como o sufrágio masculino universal, o sistema métrico e a semana de trabalho de dez dias. Isso imediatamente provocou a guerra com a Grã-Bretanha e a Espanha, que queriam saber o que os franceses estavam planejando fazer com o sábado e o domingo. Extraordinariamente, as forças revolucionárias ganharam a guerra, estimuladas pelo fervor patriótico e pela incapacidade das forças de coalizão invasoras de entender as suas novas placas métricas na estrada.

## A ASCENSÃO DE NAPOLEÃO

Em 1795, membros da Assembleia Legislativa decidiram redigir uma nova constituição, já que tinham acidentalmente derramado

* Decapitando-o.

A CONSTITUIÇÃO REVOLUCIONÁRIA FRANCESA SE BASEAVA NO PRINCÍPIO DE DECEPAR A CABEÇA DE QUALQUER COISA QUE PASSASSE MUITO PERTO DA GUILHOTINA.

vinho na anterior. Dessa vez, eles acabaram com o sufrágio masculino, porque, com toda a franqueza, tinha dado um trabalhão contar todos aqueles votos, e restringiram o direito de voto a eles próprios, a alguns dos seus colegas ricos e a um sujeito chamado Pierre que eles tinham conhecido no bar. Eles então elegeram cinco dirigentes que assumiriam o controle do país.

Durante os quatro anos seguintes, os cinco dirigentes se dedicaram a governar a França, às vezes conseguindo trabalhar durante duas ou até três horas a fio sem tentar assassinar uns aos outros. Enquanto a economia entrava em colapso, os preços disparavam e a corrupção imperava, e as pessoas acusavam os dirigentes de não fazer absolutamente nada com o poder que tinham nas mãos. Embora isso fosse até certo ponto injusto, já que os cinco homens brincavam do jogo das cadeiras durante as reuniões, o país logo ficou depauperado, para não dizer miserável, e ficou claro que outra constituição se fazia necessária.

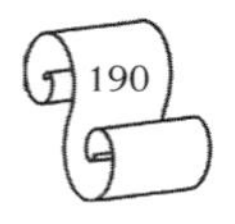


Por sorte, alguns dos líderes da Assembleia Legislativa tiveram uma ideia melhor. Eles tinham começado a achar que um líder ditatorial forte com uma inclinação para invadir a Europa poderia ser a resposta para os males da França. Eles ficaram bem atentos em busca de um candidato adequado. Napoleão Bonaparte parara de crescer aos 7 anos de idade e era mais ou menos do tamanho da mão de um homem. Ele havia subido rapidamente na hierarquia do exército francês por meio da astuciosa tática de ser pequeno demais para a guilhotina, e alcançara a patente de general aos 26 anos.

Ele foi investido no poder em 1799 por um golpe de Estado, e pela primeira e última vez na história europeia a paz do continente estava prestes a ser ameaçada por um anão francês megalomaníaco.*

## A era napoleônica

Napoleão rapidamente mostrou que não iria abandonar os ideais democráticos da Revolução realizando um plebiscito com relação à nova constituição que ele propusera: as pessoas poderiam votar "sim" se quisessem Napoleão como ditador, ou "não" se preferissem ser torturadas. Obtendo respeitáveis 104% dos votos, o novo líder usou o seu mandato para negociar uma trégua com as outras potências europeias, levando a paz e a estabilidade muito necessárias para a região durante um período de quase três dias inteiros. Em 1804, contudo, o jovem corso decidiu se coroar imperador da França, o que imediatamente deixou os outros governantes tensos, já que a França na realidade não tinha um império. A guerra irrompeu no ano seguinte.

Desde o início, as Guerras Napoleônicas seguiram um padrão previsível: ataques franceses, rendições da Europa Continental, a Grã-Bretanha resistindo heroicamente. Em 1805, Napoleão esmagou as forças russas e austríacas em Austerlitz, e a partir de então dominou o continente da Espanha até a Polônia. O mesmo ano,

* Sem contar o ex-presidente francês Nicolas Sarkozy.

NAPOLEÃO PAROU DE CRESCER AOS 7 ANOS DE IDADE.

contudo, presenciou a batalha de Trafalgar, na qual o almirante Nelson, comandando a esquadra britânica do topo de uma enorme coluna em Londres, repeliu os planos de invasão de Napoleão bombardeando com excrementos de pombos os navios franceses. Embora o comandante tenha sido assassinado durante a batalha, quando tentou ardilosamente dar um beijo de língua em Hardy, o seu primeiro-tenente, Trafalgar garantiu à Grã-Bretanha o domínio dos mares. A partir de então, os dois lados ficaram empatados, com a Grã-Bretanha concentrando todas as suas forças no mar e a França mantendo as dela em terra, o que impedia que os soldados das facções opostas se encontrassem, a não ser em viagens ocasionais à orla marítima. Napoleão tentou subjugar a nação de lojistas organizando um bloqueio, negando aos viajantes ingleses em férias os muito desejados cigarros e vinhos baratos. Mas os bravos habitantes da ilha resistiram.

A situação permaneceu paralisada até 1812, quando a Rússia ficou entediada e rompeu o bloqueio. Napoleão, irado, invadiu o país com 600 mil soldados, descobrindo que os sorrateiros russos

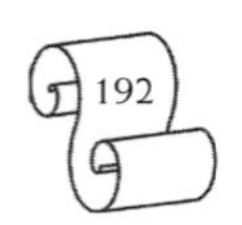


tinham abandonado o país algum tempo antes, deixando para trás nada além de uma terra estéril e alguns camponeses zangados. Ao chegar a Moscou, ele descobriu horrorizado que a capital também fora incendiada, o que o deixou com a única escolha de guiar as suas forças em uma retirada organizada de volta para a França,* em consequência do que todos os soldados congelaram lentamente até morrer nas vastas planícies varridas pelo vento.

Os russos então milagrosamente reapareceram e, seguindo as pegadas que Napoleão deixara na neve, se juntaram com o resto da Europa e o perseguiram até Paris. A capital ficou tão cheia de pessoas que não havia lugar nem mesmo para o diminuto imperador, e Napoleão foi enviado para o resort da ilha de Elba, na Toscana, com uma pensão e um relógio de ouro. Lá, ele escreveu o seu mais famoso palíndromo, "Able was I, ere I saw Elba."** Um ano depois, contudo, ele fez uma escapada dramática escondendo-se dentro do bolso da camisa do seu criado, retornando triunfante a Paris. Chegando lá, governou durante cem dias, até que o Duque de Wellington finalmente o pôs para fora em Waterloo. Dessa vez, ele foi exilado para a deplorável ilha de Santa Helena no Atlântico Sul, onde vive até hoje com a esposa e dois cachorros.

---

* *Guiar* no sentido de *abandonar*, já que Napoleão estava ansioso para chegar primeiro a Paris, onde o seu chá estava esfriando.

** Palíndromo em inglês cuja tradução é: "Capaz era eu antes de ver Elba". (N. dos T.)

# PARTE III

# A REVOLUÇÃO INDUSTRIAL 1750-1820 d.C.

## Novas invenções

É importante lembrar que, ao contrário das revoluções políticas que aconteceram nos Estados Unidos e na França, a Revolução Industrial ocorreu no norte da Inglaterra e envolveu principalmente gorros e lebréus. Em 1700, por exemplo, fabricar um gorro realmente de boa qualidade a partir do zero requeria meses de árduo esforço e labuta. Mas já em 1800, graças ao milagre da produção em massa, uma criança de 7 anos era capaz de fabricar um lote inteiro de uma só vez simplesmente operando uma máquina pesada e perigosa durante dezesseis horas por dia. O que era ainda melhor era que ela podia fazer isso praticamente quase sem nenhum custo e sem precisar parar para descansar!

É claro que esse progresso não aconteceu da noite para o dia. Na realidade, foram necessários muitos anos de suor e inspiração antes que se descobrisse que invenções milagrosas como a máquina de fiar e a lançadeira volante eram apenas brincadeiras que os sádicos do norte haviam inventado para confundir os maricas do sul de Birmingham, que bebiam limonada misturada com cerveja. A essa altura, contudo, era tarde demais, e havia fábricas e moinhos em toda parte, produzindo continuamente tantos gorros baratos que até mesmo nobres franceses presos na revolução se sentiram tentados a comprá-los.

Quando as máquinas ficaram maiores e as crianças, menores, maneiras mais eficientes de suprir as fábricas se tornaram necessárias. Como a energia hidráulica tinha as suas limitações, os inventores se voltaram para o vapor.* James Watt produziu a primeira máquina a vapor prática em 1763, o que por sua vez gerou uma demanda por carvão mineral, que estava abundantemente disponível em minas convenientemente localizadas no subsolo. Depois, eles precisaram de uma maneira de transportar o carvão de A para B e construíram canais, estradas asfaltadas e até mesmo trilhos de ferro para essa finalidade, até que uma pessoa inteligente – possivelmente Michael Faraday – ressaltou que "de A para B" era apenas uma figura de linguagem e que eles não precisavam realmente se conectar. Isso desencadeou uma construção mais frenética e, em 1829, a locomotiva a vapor *Rocket* de George Stephenson conseguiu puxar uma fila de vagões de Liverpool até Manchester em somente duas horas e um minuto – apenas vinte minutos a menos do que leva o mesmo percurso hoje em dia.

## Sombrio, satânico Yorkshire

É claro que esse progresso teve o seu preço, especialmente no aspecto das condições de vida e de trabalho. Muitos operários eram obrigados a trabalhar em condições que hoje em dia seriam consideradas adequadas apenas para os pacientes do Serviço Nacional de Saúde. As seguintes lembranças de um trabalhador nascido em Yorkshire são típicas:

> Era o inferno na Terra, é o que eu digo. Quero dizer, trabalhávamos quatorze horas por dia, cercados de imundície e lixo. Isso destruía a nossa alma e entorpecia a nossa mente. Os ouvidos sangravam com todo aquele barulho e as mãos ficavam tão esfoladas que mal conseguíamos senti-las. Quando acabava o turno, chegávamos em

---

* Antes de se condensar novamente em água ao tocar superfícies frias.

casa tão exaustos que mal conseguíamos enfiar a chave na fechadura, então descobríamos que não havia nada para colocar na mesa. Nem uma migalha de comida. As crianças gritavam e a mulher berrava, e eu me perguntava por que Deus tinha me colocado na Terra. Era o inferno, acredite. Um grande inferno. De qualquer modo... Desculpe, qual era mesmo a pergunta? O quê? O trabalho na fábrica? Perdão, não sei nada sobre isso. Achei que você estivesse falando do dia em que o supermercado ficou sem o salmão assado no forno com crosta apimentada de parmesão da *chef* Delia Smith.

Seria errado, entretanto, achar que tudo era pessimismo para o povo na Grã-Bretanha. A Revolução Industrial deu aos cidadãos muitas coisas que eles não tinham antes, como um emprego seguro, habitação, tuberculose, cólera e a morte súbita do lactente. Também promoveu um grande sentimento de comunidade e companheirismo. Bairros com laços muito estreitos apareceram no coração das cidades perto das fábricas, locais onde comunidades inteiras podiam viver e dormir juntas em harmonia, frequentemente no mesmo quarto.

Com esse espírito despreocupado, a Grã-Bretanha tornou-se motivo de inveja do mundo inteiro. Embora os operários ingleses fossem pobres – e, em muitos casos, mortos –, eles tinham orgulho, e os produtos que eles produziam se espalharam rapidamente pelo planeta, proporcionando a milhões de pessoas minutos, e às vezes horas, de boa utilização antes que apresentassem defeito e tivessem de ser devolvidos durante a garantia. A marca "Made in Britain" funcionava como uma garantia de que o produto tinha um valor autêntico e genuíno, e os descendentes desses esforçados pioneiros industriais podem sentir orgulho do fato de essa declaração ser tão verdadeira hoje em dia quanto o era naquela época.*

* Graças ao valor decorrente da escassez.

# 8

# O MUNDO FICA OBCECADO PELOS ISMOS

## (1815-1914 d.C.)

## Introdução

Os anos de 1815 a 1900 foram de grande progresso para o Ocidente. Homens e mulheres como Michael Faraday, Marie Curie, Charles Darwin e Sigmund Freud estavam transformando a maneira como as pessoas viam o mundo que as cercava – particularmente pela teoria de nascer apaixonado pela mãe, a teoria atômica, a eletricidade, os raios X, a penicilina, a radioatividade, a evolução, o desejo sexual reprimido pela babá...; esses eram apenas alguns dos avanços realizados na chamada Idade do Progresso. Um dos líderes mais neuróticos de todos os tempos – Napoleão Bonaparte – não existia mais, e uma nova ordem europeia estava se desenvolvendo no lugar dele. Sentimentos de nacionalismo, socialismo, liberalismo e imperialismo, reprimidos por um longo tempo, estavam sendo liberados por meio de terapia, e já em 1914 a Europa se sentiria desinibida o suficiente para se envolver no mais longo período de insanidade inspirada por Prozac que o mundo jamais conhecera.

PARTE 1

# O LIBERALISMO NA GRÃ-BRETANHA, NA FRANÇA E NOS ESTADOS UNIDOS 1815-1914 d.C.

## O equilíbrio do poder depois de Napoleão

Depois de Napoleão ter sido exilado em Santa Helena, todas as grandes potências europeias se reuniram em um congresso em Viena para verificar qual era o novo equilíbrio do poder. Isso não era uma coisa fácil de fazer, já que o equilíbrio do poder se modificava o tempo todo dependendo de que lado da mesa o bem nutrido ministro do Exterior austríaco estivesse sentado. Em um minuto, ele estava sentado com bastante conforto no meio, e no seguinte, ele se levantava de repente, fazendo com que toda a sala se inclinasse. O nome desse ministro do Exterior era Príncipe Metternich, e ele lançou uma sombra gigantesca em toda a Europa nos trinta anos seguintes, especialmente quando o Sol estava atrás dele.

O principal objetivo de Metternich era descobrir uma maneira de impedir que as potências europeias invadissem os territórios umas das outras o tempo todo, já que isso interrompia constantemente o seu almoço. O principal obstáculo a essa realização era, é claro, a França, a qual, de acordo com os registros históricos

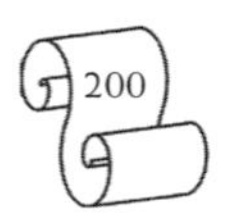


oficiais, não conseguira permanecer dentro das suas fronteiras desde o advento da deriva dos continentes. As outras potências europeias tentaram assegurar que ela passaria a fazê-lo cercando-a de pequenos Estados/tampões dispensáveis, como a Bélgica e Luxemburgo. O papel da Bélgica era retardar o avanço da França apenas por tempo suficiente para permitir que os alemães invadissem pelo outro lado.

Junto a outros líderes amigos, Metternich fundou o que veio a ser conhecido como o Concerto da Europa. Isso envolveu criar um conjunto de alianças entrelaçadas tão complexas e difíceis de entender que nenhuma nação conseguia se sentir segura para declarar guerra novamente, a título de precaução, para não se ver lutando do mesmo lado da Itália. Graças a esse inteligente sistema, a Europa conseguiu, de algum modo, permanecer em paz por um período de quase quarenta anos, uma façanha que ela só pôde repetir na segunda metade do século XX.*

## O liberalismo na Grã-Bretanha

Nessa época, a Grã-Bretanha era alvo da inveja do mundo inteiro. Nações próximas, como a Europa Continental, e distantes, como a Escócia, estavam contemplando a sua florescente economia industrial, o seu próspero império comercial e o seu estável sistema político, e pensando: "Bem, pelo menos eles não sabem jogar futebol". No entanto, debaixo da superfície, as coisas não eram tão auspiciosas. A democracia britânica era muito estável porque o direito de voto estava restrito a pessoas que, ou por nascimento ou por força das circunstâncias, tinham a sorte de ser o Conde de Marlborough. Também havia problemas com alguns dos membros do Parlamento. Uma vistoria no Parlamento realizada na década de 1830 revelou que bem mais de um terço dos seus membros

* Desde que se desconsidere o conflito na antiga Iugoslávia, que foi, é claro, o que a maioria das pessoas na Europa fez.

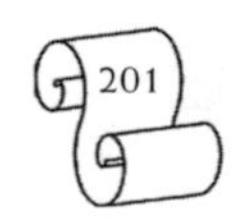

havia, de fato, morrido no século XVIII, mas ninguém havia notado pelo fato de eles serem principalmente liberais democratas. Esses membros do Parlamento chamados de "podres" vinham de bairros que, graças à migração urbana e à séria erosão causada pela água, na realidade, não existiam mais, e, com o tempo, houve solicitações para removê-los das cadeiras, pelo menos aqueles que não estavam paralisados. Isso conduziu a uma Lei da Reforma.

A oposição, contudo, não foi silenciada. Enquanto a década de 1830 se arrastava, a Grã-Bretanha começou a sofrer de um surto de cartismo, quando milhões de pessoas lúcidas em outros aspectos chegaram, de repente, à conclusão de que a solução para todos os inúmeros males sociais e políticos do país residia na criação de uma Carta dos Cidadãos. A Carta estipulava que todos os homens adultos com idade entre 18 e 81 anos deveriam ter permissão para votar nas eleições por meio de um voto secreto se o trem que eles estivessem esperando pegar sofresse um atraso superior a uma hora; a não ser, é claro, que isso acontecesse por razões totalmente excepcionais e impossíveis de prever.* Embora os membros do Parlamento tivessem rejeitado a Carta alegando que, de qualquer modo, as pessoas iam de carro para o trabalho, o movimento os assustou o suficiente para que eles gradualmente estendessem o direito de voto para todas as pessoas, exceto para Emmeline Pankhurst e as Sufragistas, uma banda de punk rock do final do século XIX.

## O republicanismo na França

À medida que a Grã-Bretanha avançava firmemente em direção à democracia, os seus vizinhos amistosos do outro lado do Canal

* Como folhas caindo das árvores no outono.

tomaram uma rota alternativa para a estabilidade política: o completo desrespeito à lei e o caos total. Com Napoleão fora do caminho, os líderes da Europa, em um desses raros momentos de intuição e visão que revelam com absoluta clareza os perigos de fumar ópio nas reuniões de cúpula internacionais, decidiram restaurar o trono da França colocando nele a dinastia Bourbon. Parece que eles tinham temporariamente esquecido a tendência inata do povo francês de guilhotinar qualquer pessoa cujo nome parecesse uma marca de biscoitos. A bem da verdade, o novo rei Bourbon, Luis-Filipe, fez o possível para fingir não ser um Bourbon, vestindo-se como um banqueiro e chamando a si mesmo de cidadão. Porém o povo, que já estava mais esperto, não se deixaria enganar, e em um dia quente de verão, em 1848, as pessoas se organizaram cuidadosamente, formando uma multidão enfurecida, e derrubaram o fraco regime, com o slogan popular democrático "Você não é tão bom quanto um pudim de leite".

Dessa vez, eles criaram uma república e elegeram como o seu primeiro presidente o sobrinho daquele baluarte de liberdade popular e direitos humanos... Napoleão Bonaparte. Lamentavelmente, esse novo governante, que, para se distinguir do seu ilustre tio, decidiu chamar a si mesmo de Napoleão Bonaparte, rapidamente começou a perceber que ele não era apenas parente de Napoleão Bonaparte, e sim que ele efetivamente era Napoleão Bonaparte, um problema que o perceptivo Sigmund Freud imediatamente apelidou de "Complexo de Napoleão". Ele se envolveu em uma série de ridículas guerras estrangeiras, aderindo a conflitos onde quer que conseguisse encontrá-los ao redor do mundo, inclusive, em determinado momento, no México. Finalmente, em 1870, o seu olho ficou maior que a barriga, e ele foi atraído para um conflito com a Prússia. Os prussianos, comandados por Bismarck, marcharam imediatamente em direção a Paris e, em um ato de tolerância magnânima, permitiram que os parisienses ateassem eles próprios fogo à cidade.

O legislativo francês chegou à conclusão de que seria melhor que eles elegessem rapidamente um rei e, dando um trago profundo em um narguilé cheio de ópio, constatou que o ideal era que ele fosse ou um Bourbon ou um Bonaparte. Por sorte, eles não conseguiram chegar a uma conclusão e acabaram escolhendo outra república, a terceira da França. Apesar de a administração de sucessivos governos ser tão confiável quanto os votos de um casamento francês, a Terceira República de algum modo se manteve e só se extinguiu quando Adolf Hitler a atacou com um golpe fatal em 1940.

## O expansionismo nos Estados Unidos

Depois de a Grã-Bretanha ter generosamente concedido a independência aos americanos em 1783, os Estados Unidos aumentaram o seu território continental por meio de uma arguta tática política conhecida como "comparar preços em bazares de caridade". Em um desses eventos, promovido em uma sala paroquial nos arredores de Paris, o presidente Jefferson ficou surpreso ao encontrar, comprimido entre duas belas plantas de vaso, o estado da Louisiana. Ele imediatamente fez uma oferta, já que gostava muito de plantas em vasos, e, em um gesto de boa vontade, concordou em levar a Louisiana também. No entanto, ao chegar em casa, ele percebeu que o ardiloso francês dono do estande também tinha inserido disfarçadamente no pacote Iowa, Colorado, Kansas e um montão de outros lugares. Embora ele não tivesse a menor ideia de onde iria colocar todos eles, Jefferson aceitou generosamente o presente, e a partir daquele dia os presidentes americanos passaram a considerar que era seu dever comprar terras de quem quer que as vendessem, a não ser que fossem os mexicanos – pois, nesse caso, eles as roubavam.

Com o tempo, porém, o país ficou tão grande que começou a se dividir em dois, com uma das metades sendo rica, industrializada e livre, e a outra metade sendo o Sul. Isso causou a Guerra Civil,

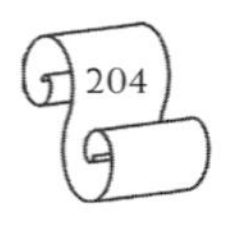


a qual foi finalmente vencida pelo Norte em 1865, depois de quatro anos de uma luta sanguinária na qual irmão lutou contra irmão, irmã contra irmã, e somente as crianças ficaram confusas. Abraham Lincoln declarou que todos os negros seriam agora considerados livres e iguais aos seus vizinhos brancos, uma lei que foi aclamada em toda a nação, exceto, é claro, nos lugares onde os negros efetivamente viviam.

A terrível destruição causada pela guerra deixou os Estados Unidos em uma extrema necessidade de reconstrução. Felizmente, por um golpe de sorte, o período seguinte da história do país foi chamado de Era da Reconstrução. No Norte, a Era de Reconstrução, via de regra, assumiu a forma de vários multimilionários obscenos com sobrenomes inventados, como John D. Rockefeller, Andrew Carnegie e Cornelius Wonderwoman. Eles criaram monopólios do petróleo, do aço e estradas de ferro, que depois eram vendidos por um preço mais elevado para o público em geral, que nunca entendeu exatamente o que deveria fazer com isso. Apesar desses contratempos, a população dos Estados Unidos cresceu exponencialmente e, já em 1900, eles tinham ultrapassado a Grã-Bretanha como o maior fabricante mundial de tudo, exceto queijo e aperitivos de cebola.

# PARTE 11

# O NACIONALISMO NA ITÁLIA, NA ALEMANHA E NA RÚSSIA 1815-1914 d.C.

## A unificação alemã

Em 1870, a Europa foi lançada na confusão pelo repentino pronunciamento de que Garibaldi, um bonitão revolucionário de camisa vermelha da Sicília, acabara de unificar a Itália. "Que diabos é a Itália?", indagavam os confusos europeus. Então, um ano depois, houve outro chocante pronunciamento, dessa vez dos prussianos, revelando que estavam pensando em unificar a Alemanha também, ou, no mínimo, desencadear muito mais guerras.

Essa não era a primeira vez que ouviam um pronunciamento como esse. Revolucionários românticos haviam mencionado isso em 1848, mas o seu movimento tropeçou quando ficou claro que ele corria o risco de ser bem-sucedido sem uma invasão maciça da França. Porém agora a declaração estava sendo feita por Otto von Bismarck, chanceler da Prússia, e isso fez com que as pessoas prestassem atenção. Sendo a principal figura da política prussiana, Bismarck não estava essencialmente interessado na unificação propriamente dita. Ele sonhava à noite em promover o poder e o prestígio da Prússia, que ele definia em função do número de prussianos vivendo na terra de outras pessoas. Para isso, ele precisaria de um exército forte e muitas guerras, e passou a maior parte do tempo arquitetando planos engenhosos para instigar os seus vizinhos a declará-las.

Os seus dois alvos prediletos eram a França e a Áustria, porque eram mais próximas. Mas primeiro ele teve de lidar com a perigosa e crescente ameaça do Reino da Dinamarca, cujas agressivas atividades de pastelaria às vezes ocorriam bem perto da fronteira. Persuadida por Bismarck, a Áustria também aderiu a essa guerra, e juntas elas derrotaram os confeiteiros saqueadores de Copenhague e ocuparam um bom pedaço da terra deles. No entanto as ocupações conjuntas são sempre arriscadas, e não demorou muito para que Bismarck convencesse os austríacos a ir novamente à guerra, dessa vez contra ele. Tendo em vista o poder militar da Prússia, o resultado nunca foi tão duvidoso, e Bismarck irritou os austríacos desde o início insistindo em chamar o conflito de Guerra das Sete Semanas. A Áustria nunca se recuperou da zombaria, e Bismarck surrupiou vários estados do norte da Alemanha, que docilmente se uniram em uma Confederação Alemã com a sua liderança.

Restou então a França. Via de regra, Bismarck preferia quando os estados declaravam guerra a ele do que o contrário, porque isso lhe permitia tomar uma posição moral elevada, na qual a sua artilharia era mais eficaz. Porém, graças ao histórico da Prússia, os países começaram a perceber que essa possivelmente não era uma boa ideia. Para sorte de Bismarck, Napoleão Bonaparte, o mais atrapalhado dos dois, ainda não havia chegado ao fim do seu reinado.

Após vários meses de tensão diplomática que não conseguiram provocar o jovem imperador, Bismarck finalmente descobriu uma maneira de envolvê-lo quando publicou secretamente um telegrama no qual o Rei Guilherme da Prússia de maneira educada recusou um convite para se reunir com o embaixador francês. Antes de torná-lo disponível para a imprensa, o ardiloso chanceler delicadamente alterou as palavras, para que, em vez do que estava escrito

originalmente – "Sua Majestade o Rei Guilherme pesarosamente informa ao embaixador que não poderá conceder-lhe uma audiência" –, o telegrama ficasse assim: "Napoleão Bonaparte é um grande idiota francês". Os gritos de indignação foram ouvidos por toda a França, porque se havia uma coisa da qual um Bonaparte nunca poderia ser acusado era de ser grande. Napoleão declarou guerra imediatamente, em consequência do que o exército prussiano, que estivera tranquilamente concentrado na fronteira francesa durante algumas semanas, marchou em direção a Paris e observou os franceses atearem fogo à cidade.

Com o fim da guerra, o resto dos estados alemães decidiu que gostaria também de ingressar na Confederação Alemã da Prússia, e assim nasceu o Segundo Reich, ou Império Alemão. Com dinheiro francês financiando a sua infraestrutura, a nova nação foi um estrondoso sucesso, construindo um número recorde de navios, canais e estradas de ferro. Muito tempo se passou antes que alguém notasse que todos pareciam estar apontando para a Bélgica.

## A Guerra da Crimeia

Quando a Europa ocidental sucumbiu aos prazeres hedonistas do liberalismo, do capitalismo e da indústria, coube à Mãe Rússia salvaguardar os valores tradicionais do feudalismo, da servidão e da inanição em massa. Apesar de uma revolta liberal em dezembro de 1825 que foi tão ineficaz que o único nome que os russos conseguiram sugerir para ela foi a Revolta de Dezembro, o Estado czarista havia prosseguido no seu jovial caminho, introduzindo decretos de ampla visão como o serviço militar compulsório de 25 anos de duração, destinado a garantir que ninguém, jamais, tivesse tempo para cultivar alimentos. Eles também tinham uma terrível polícia secreta chamada Terceira Seção, que passava os dias patrulhando as ruas de São Petersburgo e interrogando as pessoas que davam a impressão de saber o que havia acontecido à Primeira e à Segunda Seção.

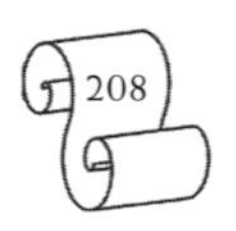



Foi nesse ambiente progressista que ocorreu a Guerra da Crimeia. Ela foi basicamente causada pelo desejo da Rússia de querer um pouco mais de terras, já que possuir um quinto da massa terrestre do mundo claramente não era suficiente para um país cuja população havia chegado nessa época a quase 126 pessoas. Os russos escolheram como alvo o Império Otomano, o qual, a essa altura, estava tão enfermo que recebia cuidados constantes de Florence Nightingale. Felizmente para os turcos, a Grã-Bretanha e a França intervieram do lado do Império Otomano, e em uma guerra de dois anos de duração, comicamente tão ruim que até a Carga da Brigada Ligeira suicida foi efetivamente celebrada em um poema, os russos foram derrotados.

Sem considerar a sua notável poesia e sua estarrecedora estratégia militar, a Guerra da Crimeia também foi digna de nota pelo seu jornalismo, assinalando a primeira vez em que as guerras foram diretamente noticiadas a partir da linha de frente. Graças ao trabalho pioneiro de William Howard Russell do *The Times*, o povo inglês pôde ler em primeira mão a verdadeira história da Guerra da Crimeia, antes de rapidamente pular para a página 3, que era o que realmente queriam ver. Na verdade, foi depois de ler uma das missivas de Russell sobre a Batalha de Balaclava que Florence Nightingale decidiu ir para a Crimeia, já que as descrições do repórter sobre as condições sombrias e solitárias dos soldados a convenceram de que aquele era um lugar onde uma mulher solteira poderia realmente se divertir.*

## A independência na América Latina

Com tanta atividade acontecendo em seu próprio quintal, teria sido fácil para as grandes nações europeias esquecer que ainda precisavam cuidar de um grupo de colônias esforçadas nas Américas Central e do Sul. Para sorte das colônias esforçadas, foi

* Especialmente se estivesse usando uniforme de enfermeira.

exatamente isso que aconteceu. O Haiti obteve a sua independência da França em 1804, e dezoito anos depois o Brasil conseguiu se libertar do nocivo controle de Portugal. O único país que ainda realmente se importava com as suas colônias latino-americanas era a Espanha. Infelizmente, no início do século XIX, essa nação ibérica um dia poderosa havia se tornado tão perigosa, do ponto de vista puramente militar, quanto um estilingue. Isso proporcionou às suas colônias a chance de se empenhar em conquistar a liberdade.

O primeiro golpe foi dado pelos argentinos em 1810, quando um habitante local chamado José de San Martín entrou no prédio da sede do governo em Buenos Aires e anunciou que havia decidido se tornar o novo governador. A assustada equipe rapidamente convocou o então governador espanhol, o qual, jamais receoso de recuar de uma briga, fez ao usurpador várias perguntas difíceis a respeito da sua experiência, suas credenciais, entre outras, antes de concordar, relutantemente, em entregar a ele todo o país. Mais ou menos na mesma época, um jovem herói idealista chamado Simón Bolívar estava tramando uma conspiração para assumir o controle da Colômbia. Tendo planejado a sua campanha nos mínimos detalhes, ele conduziu pelos Andes um exército de 3 mil soldados animados em uma árdua e secreta jornada da Venezuela até a Colômbia. A sua brilhante estratégia conseguiu pegar as autoridades espanholas totalmente de surpresa, já que elas estavam esperando que ele assumisse o poder na Colômbia simplesmente lançando o seu vale-transporte.

Separadamente, esses dois grandes líderes cuidaram bem rápido do resto da América do Sul, até que San Martín, relutante em arriscar o futuro do movimento da independência lutando contra Bolívar, diplomaticamente concordou em morrer. Simón Bolívar obteve então liberdade de ação para governar as jovens nações, as quais imediatamente se dividiram em vários diferentes territórios para se tornarem ingovernáveis. Depois de muitos anos de luta infrutífera, Bolívar chegou à conclusão de que, no cômputo geral, o melhor que ele tinha a fazer era morrer também, o que ele conseguiu realizar com êxito em 1830. No entanto isso seria a última coisa que ele faria, visto que não chegou a ver a América Latina conquistar a democracia pela qual ele passara a vida lutando.

# PARTE III

# A ERA DO IMPERIALISMO 1815-1914 d.C.

## A luta pela África

Embora as potências europeias tenham gradualmente perdido o interesse pela América Latina, esse não foi o caso com relação à enorme e em grande medida inexplorada extensão de terra da África. É claro que havia muitos fatores econômicos, sociais e religiosos por trás das tentativas dos exploradores europeus de penetrar no chamado continente negro. Havia, por exemplo, aqueles chapéus de safári superlegais. Também era importante para os europeus descobrir onde estava a nascente do rio Nilo, para o caso de isso um dia aparecer como uma pergunta de desempate num torneio de perguntas e respostas da televisão.

Muitos dos primeiros exploradores passaram anos arriscando tudo nessa busca intimidante, até que o notável *sir* Richard Burton, em um momento tipicamente brilhante de inspiração erudita, sugeriu que eles dessem uma olhada em um mapa. Isso ajudou um pouco, mas foi somente quando o jornalista Henry Morgan Stanley viajou até a África Central para se encontrar com David Livingstone e o cumprimentou com as imortais palavras "Por favor, você tem alguma ideia de como eu posso chegar ao Egito?" que as pessoas se deram conta de que era melhor esquecer a nascente do Nilo por algum tempo e simplesmente se dedicar a roubar toda a prata, o ouro e os diamantes da África.

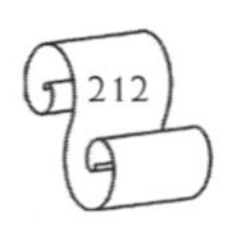

Essa decisão histórica conduziu à luta pela África, quando a Grã-Bretanha, a França, a Alemanha e a Holanda – e até mesmo, pelo amor de Deus, a Bélgica – avançaram precipitadamente sobre o continente apenas para se chocarem uns com os outros na entrada do Canal de Suez. Recuaram lentamente e avançaram de novo, dessa vez em ordem alfabética, e então eles dividiram cuidadosamente o antigo e orgulhoso continente por meio de complexas manobras diplomáticas conhecidas como pedra, papel e tesoura, ou joquempô. Esse princípio funcionou muito bem de um modo geral, mas ocasionalmente as potências chegavam às vias de fato – notadamente na Guerra dos Bôeres sul-africana, quando colonizadores britânicos e holandeses não conseguiram concordar com relação a quem tinha o direito prioritário de escravizar os membros negros das tribos locais.

É claro que o que estava certo e errado no imperialismo europeu ainda é debatido hoje em dia. Sem dúvida, muitos crimes terríveis foram perpetrados contra os nativos africanos para o benefício de seus países de origem. No entanto é importante relembrar que, além dos abusos, os colonizadores europeus levaram esclarecimento, civilização e sofisticação para aquelas nações africanas retrógradas, proporcionando-lhes estradas de ferro, hospitais, igrejas, escolas e outros confortos públicos essenciais. Às vezes, no espírito da filantropia vitoriana, eles até mesmo permitiam que os africanos os utilizassem.

## A joia na passagem da Índia

Depois que a Grã-Bretanha afugentou a França durante uma dessas incompreensíveis guerras do século XVIII que ocorreram em algum ponto na cara do Capitão Jenkins, ela agora não enfrentava mais nenhuma oposição à sua proposta de governar o gigantesco continente da Índia, desde que os 250 milhões de indianos não fossem levados em consideração, e foi exatamente isso que a Grã-Bretanha fez. Apesar da desigualdade numérica, os governadores imperiais rapidamente conquistaram a obediência e o respeito dos seus súditos indianos, graças ao profundo e inato reconhecimento dos indianos do fato de que os britânicos possuíam armas.

Dessa maneira, um continente foi conquistado, e ele logo se tornou a joia mais cobiçada do Império Britânico por meio da negociação de várias transações comerciais que os britânicos tinham aprendido com os antigos fenícios.* Os indianos nunca conseguiram realmente chegar a uma conclusão sobre o que pensavam a respeito dos seus novos senhores. Por um lado, eles não gostavam de ser tratados com condescendência e racismo em seu próprio país; no entanto, por outro lado, gostavam da expressão no rosto dos ingleses quando começaram a atirar a bola para eles durante o lance do críquete chamado *leg-spin*. Foi somente em 1885 que os indianos começaram a pensar seriamente a respeito da independência. Entretanto eles só a alcançariam finalmente depois de uma luta cruel e não violenta envolvendo um importante filme ganhador de um Oscar.**

## Distribuindo a porcelana***

Quando deixamos a China pela última vez, corria o ano de 1683 e os manchus tinham acabado de se apoderar do trono imperial. Quase 250 anos depois, em 1911, os manchus ainda ocupavam o trono imperial. Infelizmente, todas as outras coisas no palácio eram de propriedade de estrangeiros.

Não foi realmente culpa dos manchus. Eles tinham feito o máximo para manter a China saudável e independente deixando crescer bigodes tão longos que podiam ser usados como cordas de pular. Mas a predileção de muitos imperadores por assistir ópera chinesa havia debilitado a capacidade deles de permanecer acorda-

---

* Ver p. 51.

** Ver p. 248.

*** Trocadilho no original. A frase em inglês é: "Handing out the China". *China* em inglês pode significar o nome do país ou "porcelana". (N. dos T.)

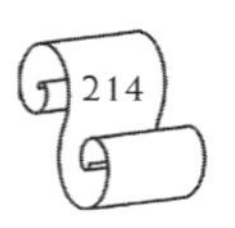


dos nos momentos críticos. O primeiro desses ocorreu nas Guerras do Ópio de 1839, quando os britânicos tentaram fazer uma negociação justa e mutuamente benéfica pela qual os chineses concordariam em fornecer aos ingleses algumas folhas de chá e, em troca, os ingleses forneceriam aos chineses narcóticos nocivos e viciantes. Essa oferta perfeitamente compreensível foi inexplicavelmente recusada pelos manchus, até que os britânicos pacientemente explicaram as vantagens do negócio abrindo fogo no litoral da China com canhoneiras. Os chineses, finalmente compreendendo a estranha lógica ocidental, rapidamente concordaram em entregar Hong Kong, junto aos direitos plenos e exclusivos a Chris Patten.

Isso estimulou outras grandes potências a também explicar o seu raciocínio com os chineses, até que, pouco depois, a China se tornou um dos países mais compreensivos do mundo inteiro. Okinawa e Taiwan foram para os japoneses, enquanto o resto do país foi dividido entre a Grã-Bretanha, a França, a Alemanha, a Rússia e os Estados Unidos. Os chineses, é claro, não se importaram nem um pouco com isso, já que sempre tinham gostado muito de estrangeiros, desde que construíram um muro para manter todos eles afastados. Eles tentaram revidar em 1898 com a Rebelião dos Boxers, mas as potências estrangeiras lutaram sem luvas e fizeram os rebeldes beijar a lona no segundo *round*, obrigando os manchus a pagar os enormes custos de promoção. Os chineses pagaram sem reclamar, esperando pacientemente pelo dia em que se vingariam inundando o mundo com filmes de Jackie Chan.

## Os Estados Unidos também conseguem um império

Já na década de 1890, a maior parte do continente dos Estados Unidos já estava povoada, exceto aqueles estados que eram claramente inabitáveis.* O país estava em rápida expansão, com prósperas indústrias, escravos recém-libertados e bastante espaço para

* Como Washington, DC.

todo mundo. Portanto, a época pareceu perfeita para declarar guerra à Espanha.

O problema para os Estados Unidos era que a Espanha era um país de pessoas brancas, e não era possível declarar guerra a pessoas brancas sem uma razão muito boa, a não ser que elas fossem francesas. Por sorte, bem naquele momento, um navio de guerra americano que estava inocentemente ancorado ao largo da costa da ilha espanhola de Cuba inexplicavelmente explodiu, matando muitos peixes* importantes. Os espanhóis imediatamente se declararam inocentes, afirmando que não poderiam de jeito nenhum ter feito aquilo, uma vez que estavam na Espanha o tempo todo. Porém os Estados Unidos se recusaram a morder a isca, e em uma guerra heroica que durou tanto tempo quanto os espanhóis levaram para levantar as mãos, os americanos esmagaram os pérfidos ibéricos e os libertaram da sua possessão cubana. Os espanhóis, desafiadores até o fim, se recusaram a aceitar os termos da sua rendição, até que os Estados Unidos concordaram em tomar deles Porto Rico, Guam, as Filipinas e Antonio Banderas.

Os Estados Unidos, pujantes com o seu império, anunciaram uma importante nova iniciativa para a política externa mundial a partir de então. Conhecida como o Corolário Roosevelt, essa determinava que as grandes nações não tinham o direito de interferir nos assuntos de nações menores, a não ser nos casos em que a grande nação fosse, digamos, os Estados Unidos, em cujo caso isso era possível. Essa política possibilitou que os americanos não interferissem em outros lugares no mundo inteiro por anos a fio. É claro que, nos tempos mais esclarecidos do século XXI, o Corolário Roosevelt foi substituído pelo mais sensível Corolário Bush, que declarava que os Estados Unidos só poderiam interferir nos estados que representassem uma ameaça genuína e iminente à paz mundial.**

---

* Trocadilho no original. Em inglês, *fish* pode ser "peixe" ou, informalmente, uma "pessoa". (N. dos T.)

** Como o Texas.

# 9

# O MUNDO TENTA EXPLODIR A SI MESMO

## (1914-1945 d.C.)

### Introdução

Como podemos resumir os eventos significativos do século XX? Houve muitas tentativas de descrever esse século: "o século da guerra"; "o século da ideologia"; "o século da ciência"; "o século que se seguiu ao século XIX". Porém todas essas frases incisivas deixam de oferecer uma imagem completa do que foi, em termos bastante reais, o século que acaba de terminar. O século XX teve de tudo: guerras mundiais, grandes depressões, ditadores maníacos, bombas nucleares, cortinas de ferro, revoluções populares, terroristas suicidas, bandeirinhas russos, Rod Hull e Emu. Era realmente apenas uma coisa depois da outra, e muitas pessoas começaram a se perguntar se algum dia chegariam ao fim de tudo aquilo, particularmente na década de 1980, quando as meias verdes fosforescentes ficaram na moda. Mas finalmente o fim chegou, e elas tiveram os fogos de artifício para demonstrá-lo. Vamos começar, portanto, com a primeira metade desse século tão importante, uma época de constantes realizações gloriosas da raça humana, particularmente no aspecto do assassinato em massa.

# PARTE 1

# A PRIMEIRA GUERRA MUNDIAL 1914-1918 d.C.

## As causas da guerra

Por alguma razão, os livros escolares de história sempre chamam muita atenção para as causas da Primeira Guerra Mundial, como se essa fosse a primeira guerra que a Europa tivesse travado contra si mesma. A verdade, é claro, era que a Europa estivera em um constante estado de guerra consigo mesma desde o dia em que o homem de Cro-Magnon despertou e disse: "Esses neandertais estão realmente começando a me irritar". A única coisa extraordinária a respeito da Primeira Guerra Mundial foi que, por meio de uma série de alianças complexas e tortuosas que ninguém conseguiu realmente acompanhar, a França e a Grã-Bretanha de alguma maneira deram consigo lutando do mesmo lado.* Nessas mesmas alianças, a Alemanha era aliada da Áustria-Hungria; a Rússia, da França; a Sérvia, da Rússia; a Grã-Bretanha, da Bélgica; a França, do Japão; e a Itália era aliada de quem quer que estivesse ganhando no momento.

As alianças foram formadas rapidamente em meio à intensa tensão europeia habitual. A Alemanha e a Grã-Bretanha estavam tensas por causa da corrida que estavam apostando para determi-

---

* Isso mais tarde se revelou um mal-entendido.

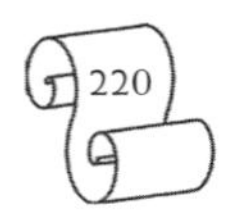


nar qual das duas nações podia pôr no mar o maior navio de guerra. Esse era um ponto de considerável orgulho para as suas respectivas forças armadas, e houve grandes celebrações na Grã-Bretanha em 1913 quando a Marinha Real Britânica realizou os sonhos de gerações inteiras e, finalmente, teve êxito ao lançar o Isle of Man.* A Alemanha também estava invocada com a França pelo fato de ela ser sua vizinha, e com a Bélgica, por ela ser pequena e indefesa.

Nesse meio-tempo, na Áustria-Hungria, a tensão reinava em todos os lugares, com uma sociedade secreta chamada Mão Negra instigando problemas contra esses países na vizinha Sérvia. A Mão Negra, formada por um total de dez pessoas, estava envolvida em uma conspiração secreta para unir todos os sérvios da Europa em um único império, até mesmo aqueles que na verdade nem mesmo sabiam que eram sérvios. Isso ocasionou um dia fatídico em junho de 1914, quando o herdeiro do Império Austro-Húngaro, o Arquiduque Franz Ferdinand, perambulou descuidadamente por Sarajevo exatamente quando um jovem agente secreto da Mão Negra – chamado Gavrilo Princip – estava planejando assassinar John F. Kennedy. Lamentavelmente, em vez disso, a bala atingiu o arquiduque, não deixando outra escolha para a Alemanha a não ser invadir imediatamente a Bélgica.

Antes que isso acontecesse, a Áustria-Hungria declarou guerra à Sérvia, a Rússia declarou guerra à Áustria-Hungria, a França se aliou à Rússia, a Alemanha se aliou à Áustria-Hungria, a Grã-Bretanha se aliou à França, e a Itália, extremamente confusa, declarou guerra a si mesma, em consequência do que ela rapidamente se rendeu. Era 4 de agosto de 1914.

## O rumo da guerra

Todo mundo tinha certeza de que a Primeira Guerra Mundial estaria terminada no Natal, e foi de fato o que aconteceu. Só que

* Afogando com sucesso muitos banqueiros.

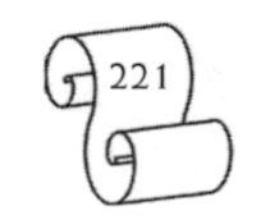


não foi no Natal de 1914. O motivo pelo qual ela durou tanto tempo foi, é claro, a tendência dos soldados de ambos os lados para sair das suas trincheiras em intervalos regulares para jogar futebol na área da fronteira, uma tendência que, com o tempo, induziu os comandantes militares a desnivelar o campo de futebol com buracos de granadas. A outra razão foi a tática.

Em guerras anteriores, as batalhas terminavam rapidamente graças a uma leve, porém significativa, falha técnica nas armas usadas pelos soldados, ou seja, elas não funcionavam. A fórmula aceita para vencer uma batalha era, portanto, correr o máximo que você pudesse na direção das tropas inimigas, parar alguns metros antes de chegar à linha de frente delas, procurar abrigo e depois aguardar esperançosamente que os mosquetes dos inimigos explodissem na cara deles.

No entanto, na Primeira Guerra Mundial, os exércitos defensores conseguiram desenvolver um novo tipo de arma chamado metralhadora, que ameaçou eliminar completamente as possibilidade de falha técnica. A metralhadora não era apenas capaz de disparar balas na direção certa, mas também de fazê-lo seiscentas vezes por minuto. Avançar correndo na direção do inimigo nessas circunstâncias seria claramente um ato suicida, ou no mínimo pura e simplesmente perigoso, então os excelentes generais da Europa rapidamente se reuniram para idealizar uma nova e brilhante estratégia para atacar as defesas do inimigo. Liderados pelo visionário marechal de campo Haig, eles decidiram que, em vez de correr diretamente em direção às linhas de frente do inimigo, os seus soldados agora iriam *caminhar*, de preferência com extrema lentidão e em linha reta. Essa arrojada nova tática pegou os exércitos defensores inteiramente de surpresa, e, em alguns dias, as forças atacantes conseguiam avançar dois ou até três metros em sequência antes que os atiradores de metralhadora inimigos conseguissem parar de rir. Wilfred Owen e outros poetas da guerra imortalizaram em verso esses gloriosos eventos:

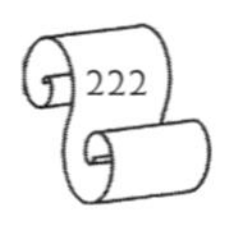


E, vejam, enquanto os flamejantes dedos da alvorada
se estendem pela lama dos campos de Flanders,
o brado "Avançar" é lançado pelo...
Uuurgh.

Passaram-se quatro anos antes que alguém se desse conta da total insanidade dessa estratégia, mas a essa altura era tarde demais, porque a guerra havia terminado. Como todo mundo sabe, foi decidido que, em prol da poesia, o tiro final seria disparado exatamente na 11ª hora do 11º dia do 11º mês do ano. Foi uma fatalidade que a decisão não tenha chegado aos ouvidos do soldado William Burke da 27ª Divisão de Infantaria Britânica que, por ter começado a disparar outra bala pouco depois das onze horas, inadvertidamente fez com que a guerra continuasse por mais um ano.

## O Tratado de Versalhes

Durante os longos anos infernais de 1914 a 1918, as pessoas tinham se acostumado a chamar o terrível e sangrento conflito de A Guerra para Acabar com Todas as Guerras. Depois que o Tratado de Versalhes foi assinado em 1919, elas se deram conta de que deveriam mudar o nome para Primeira Guerra Mundial.

A discussão a respeito de como tratar as nações derrotadas girou em torno dos Quatorze Pontos apresentados pelo presidente dos Estados Unidos, Woodrow Wilson. Esse documento iluminado propôs que:

1. As nações vitoriosas deveriam tratar os perdedores com dignidade e moderação e se abster, por exemplo, de despojá-las de grandes quantidades de dinheiro e terras.
2. As controvérsias entre as nações deveriam, a partir de então, ser resolvidas não pela guerra, mas pela conversa sincera e pelo entendimento mútuo.

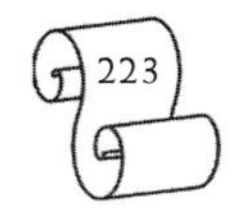


3. Os homens não deveriam se envergonhar de chorar em público.

A Grã-Bretanha e a França escutaram atentamente as ideias do presidente americano, debatendo-as meticulosamente, uma por uma, até que, no final, estavam rindo tanto que quase romperam os seus parlamentos. Finalmente, decidiram que, no todo, elas de fato gostariam bastante de despojar os perdedores de grandes quantidades de dinheiro e terras; caso contrário, como iriam pagar os armamentos que precisariam fabricar quando os humilhados alemães inevitavelmente quisessem se vingar?

No entanto elas concordaram em fundar uma Liga das Nações, a qual, depois da primeira rodada de jogos, estava sendo confortavelmente liderada pela Grã-Bretanha, com a Alemanha se mantendo firmemente em último lugar. Os Estados Unidos optaram por não ingressar na Liga, formando a sua própria liga nacional – tendo apenas eles próprios como membros. Os vencedores da liga americana ainda chamavam a si mesmos de Campeões Mundiais.

# PARTE II

# A ASCENSÃO DOS DITADORES 1917-1939 d.C.

## A Revolução Russa

A Rússia, sempre um lugar descontraído nos momentos mais difíceis, ficou ainda melhor com o advento da Primeira Guerra Mundial. Os camponeses russos, desfrutando o seu primeiro dia de folga desde mais ou menos 1683, receberam um passe livre para a Polônia, onde lhes foram oferecidas acomodações semipermanentes dentro de buracos de granada, o que era uma melhora significativa em relação à sua moradia habitual. Eles eram praticamente invencíveis em combate, já que o exército os equipara com os armamentos mais avançados que a Rússia tinha disponíveis. Os soldados tornavam as armas ainda mais eficazes esmagando-as com as mãos até que elas se tornavam quase como bolas de gelo. Diziam que os melhores atiradores de elite conseguiam distinguir um capacete alemão a doze metros de distância.

Os russos eram destemidos em combate, inspirados pela genialidade dos seus comandantes supremos, o Czar Nicolau II e a sua bela esposa Rasputin. Porém, apesar de toda a sua coragem, a guerra não caminhou bem, e em 1917 muitos soldados tinham decidido que simplesmente não queriam mais brincar. Nesse meio-tempo, na cidade de Petrogrado, agitadores bolcheviques vinham incitando o populacho local a fazer tumultos por causa de comida. No entanto, quando os tumultos rapidamente se extinguiram porque os bolcheviques se deram conta de que o populacho não tinha na verdade nenhuma comida a respeito da qual criar tumultos, bastou encorajar um marxista radical exilado chamado Lenin a voltar para a sua terra natal com o objetivo de promover a revolução. Ele conseguiu isso no dia 7 de novembro de 1917, com o slogan popular "Paz, pão e campos de trabalhos forçados siberianos".

Seguiu-se uma guerra civil, que os comunistas acabaram vencendo depois que Lenin matou brutalmente o czar e a família real com um golpe da sua barba. Os bolcheviques assumiram o controle e celebraram a fundação do seu paraíso de trabalhadores socialistas livres criando uma polícia secreta para garantir que ninguém jamais pudesse deixar o país. Lenin faleceu em 1924, deixando no seu lugar o seu bom amigo Trotsky. Mas este decidiu, de repente, que preferia ser secretamente assassinado no México com um quebrador de gelo. (Então agora você sabe a resposta para a eterna pergunta "O que aconteceu a Leon Trotsky?".) Em seguida, muitos outros líderes soviéticos decidiram, de repente, que também preferiam ser secretamente assassinados, até que, com o tempo, só sobrou um líder soviético. Este, é claro, não tivera pessoalmente nada a ver com qualquer um desses assassinatos secretos, fato que ele provou convincentemente assassinando secretamente qualquer pessoa que sugerisse que ele tivera. Seu nome era Josef Stalin, e ele tinha grandes ideias para a Mãe Rússia – entre elas, um ambicioso Plano de Cinco Anos para matar de fome a população inteira do país.

## A ascensão de Mussolini

Houve uma grande confusão, brigas e agitação na Itália depois da Primeira Guerra Mundial. Entretanto, em muitos outros aspectos, a situação era bastante anormal. O principal problema era a economia, que estava "deprimida". Ela estava pensando: "Pelo amor de Deus, por que eu tenho de ser a economia da Itália?".* Os soldados italianos desempregados que tinham voltado da guerra também estavam deprimidos, zangados com o fato de que, embora tendo obtido muitas vitórias valorosas contra eles mesmos, não tinham obtido nada do acordo de Versalhes.

Um desses soldados que voltaram para casa era um cabo rechonchudo chamado Benito Mussolini. Incapaz de conseguir um emprego no sinistro mercado de trabalho, o jovem agitador se juntou aos grupos de soldados insatisfeitos para formar gangues fascistas, cuja ideia de divertimento era perambular pelas ruas vestindo camisas pretas ameaçadoras e tentar, se possível, não derramar molho à bolonhesa sobre elas. Essa tarefa estava longe de ser fácil, e com o tempo o desafortunado governo italiano começou a achar que Mussolini poderia ser a espécie de homem que o país precisava para conduzi-lo por um caminho de completa devastação e ruína. Em 1922, o Rei Vítor Emanuel III o convidou para formar um governo, com a condição de que ele não deveria, em hipótese alguma, se desfazer dos seus inimigos políticos e estabelecer uma ditadura cruel e sanguinária, pelo menos durante mais ou menos dois anos.

Ele estava se esquecendo, é claro, de que Mussolini não tinha necessidade de se desfazer dos seus inimigos, já que era um homem grande o bastante para simplesmente engoli-los inteiros. Na condição de o todo-poderoso *Duce* da Itália, ele cultivou a imagem do incansável super-homem, embora, enquanto o Super-Homem voava, Mussolini tendia a rolar. Ele conseguiu reavivar a economia com grandiosos projetos de construção, principalmente de estátuas dele próprio, e engordou os cofres públicos incentivando os cidadãos a enviar para ele as suas joias de ouro para que fossem derretidas e transformadas em chocolate. No entanto ele deixou em paz as estradas de ferro. Fato.

---

* A economia da Irlanda tem problemas psicológicos semelhantes.

MUSSOLINI – TÃO GRANDE QUE PODIA ENGOLIR OS SEUS INIMIGOS INTEIROS.

Já em 1935, contudo, ele estava entediado e percebeu claramente que, para que fosse lembrado como um líder verdadeiramente notável, precisaria conduzir a Itália à glória em alguma conquista estrangeira inútil. Infelizmente, isso significava encontrar uma conquista estrangeira inútil que a Itália fosse verdadeiramente capaz de vencer, o que fez Mussolini ter de escolher um país indefeso em algum lugar da África, ou a Cidade do Vaticano. No final, ele optou pela Abissínia, mas, mesmo assim, logo viu as suas tropas sendo refreadas pelos temíveis soldados africanos, muitos dos quais tinham lanças. Foi necessária uma campanha de bombardeio sustentado com armas químicas para subjugar os nativos, mas finalmente a Itália conseguiu a sua colônia. O legado de Mussolini estava garantido.

## A ascensão do Japão

Nesse meio-tempo, do outro lado do mundo, o Japão estava começando a fazer sentir a sua presença. Até então, a pequena nação insular fora principalmente conhecida pelas maneiras variadas e criativas que os seus cidadãos tinham encontrado para praticar o suicídio, sendo que a moda mais recente era a contínua exposição ao doloroso canto amador. No entanto, no despontar do século XX, os japoneses decidiram que já que iam despender uma vasta energia criativa se suicidando, melhor seria que começassem a levar com eles outras nações.

Os japoneses começaram em 1905 com uma pequena e elegante guerra contra a Rússia, mas logo voltaram a atenção para a China, que, por volta da década de 1920, se tornara uma enorme baleia encalhada, pronta para ser trinchada e comida. O Japão, que jamais desprezaria uma caça à baleia, já tinha estabelecido uma forte guarnição na Manchúria, e agora se apoderava completamente da província. A Liga das Nações reagiu tipicamente em um estilo direto enviando aos agressores uma dura carta de protesto, que os japoneses dobraram em um elaborado grou de papel e fizeram descer flutuando rio abaixo.

Alguns anos depois, eles se expandiram além da Manchúria e empreenderam uma invasão completa na China depois de terem sido infundadamente provocados por terroristas chineses – que foram claramente entreouvidos contando uma piada a respeito da arte do bonsai. A guerra foi travada com a honra originária do código de *bushido* japonês e simbolizada pelo comportamento dos soldados japoneses depois da queda de Nanjing, quando eles generosamente concordaram em deixar vivos pelo menos dois dos civis da cidade. Depois disso, contudo, os chineses começaram a conduzir uma batalha de guerrilhas contra os invasores, e o conflito acabou num empate.

## A ascensão de "Adolfinho"

Em 1889, na pequena cidade austríaca de Braunau, um jovem insignificante e pretensioso chamado Adolf Hitler veio ao mundo. Tendo sido uma criança popular na escola, em virtude de seu bigode engraçado e de uma série hilária de ridículas saudações, Adolf cresceu desejando ser artista. Ao viajar para Viena quando rapaz,

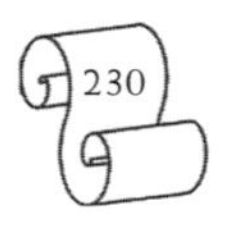


ele tentou ingressar na prestigiosa Academia de Arte, descobrindo, porém, que ela tinha um preconceito bizarro e prejudicial contra as pessoas sem talento. Sobrevivendo com dificuldade como pintor de cartões-postais, ele foi obrigado a viver entre a escória mais pobre da sociedade vienense. Lá, ele desenvolveu um ódio irracional pelo povo judeu, baseado principalmente na capacidade que eles tinham de deixar crescer longas barbas impressionantes, que faziam com que o seu bigodinho ridículo e copiado do humorista e cineasta Charles Chaplin parecesse desgraçadamente inadequado.

A guerra começou em 1914, e Hitler se alistou no exército. Ele se distinguiu nas linhas de frente sentando-se nas trincheiras e divertindo os seus companheiros com longas tiradas maníacas contra os mais diferentes tipos de pessoas no mundo e que ele tinha rancor, até mesmo, inclusive, dos leiteiros. No entanto ele era um intrépido soldado e frequentemente arriscava a vida em missões ousadas na área da fronteira, algo que os seus companheiros incentivavam sempre que possível.

Quando a guerra terminou com a humilhação da Alemanha sendo derrotada e a assinatura do Tratado de Versalhes, segundo o qual os germânicos eram os únicos causadores da guerra, Hitler foi para Munique, onde foi aceito como espião militar nas cervejarias. E não é que ele gostou da coisa e simpatizou com um pequeno partido de trabalhadores que encontrou em uma dessas cervejarias? Em 1923, ele tinha se tornado o líder desse grupo, agora chamado Partido Nacional-Socialista dos Trabalhadores Alemães, formado de modo geral, como o nome sugere, por desempregados de direita camuflados de esquerdistas comunas e militares desocupados por falta de guerra. Naquele ano, Hitler conduziu o partido no malsucedido *Putsch* da Cervejaria em Munique, em consequência do qual ele ficou preso por nove meses. Durante esse período, ele escreveu *Mein Kampf*, um comovente relato da sua incapacidade de sustentar uma ereção, traduzido como *Minha Luta*.

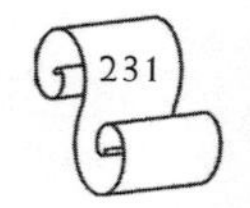


Quando foi libertado, Hitler começou a reconstruir e expandir o seu jovem partido e recebeu um enorme impulso em 1929 quando a Grande Depressão, de repente, fez com que lunáticos cuspidores depravados parecessem políticos visionários e salvadores do povo alemão. Os nazistas, como passaram a ser conhecidos os nacional-socialistas, começaram a conquistar cada vez mais cadeiras no Reichstag e, já em 1932, se tornaram o maior partido da Alemanha. Em janeiro de 1933, o presidente Von Hindenburg convidou o inflamado agitador para ser chanceler, partindo do princípio de que dar a ele carta branca para um poder ilimitado seria a melhor maneira de controlá-lo. No entanto, embora Hitler tivesse muitas qualidades, o controle certamente não era uma delas, e ele começou a perdê-lo vertiginosamente até que, com o tempo, ficou tão furioso que, acidentalmente, ateou fogo ao Reichstag* e pôs a culpa nos comunistas. Decidindo chamar a si mesmo de *Führer* – ou "Louco Monstruoso com um só Testículo" –, ele começou a governar como ditador.

* Piadas históricas à parte, o responsável pelo incêndio do Reichstag foi um jovem holandês comunista chamado Marinus van der Lubbe, perdoado pelo governo alemão em 2008 por falta de provas. (N. do E.)

# PARTE III

# A SEGUNDA GUERRA MUNDIAL 1939-1945 d.C.

## O caminho para a guerra

Com o benefício da visão retrospectiva, seria fácil sugerir que a guerra era inevitável no momento em que Adolf Hitler subiu ao poder. Mas a visão retrospectiva, é claro, não estava disponível para os líderes da Europa Ocidental na ocasião. Eles tinham de se virar apenas com sua cegueira e sua estupidez inatas do momento presente.

Eventos começaram a surpreendê-los em 1936, quando Hitler invadiu a Renânia. Esta fazia tecnicamente parte da França, mas os franceses sabiamente optaram por não contra-atacar por medida de segurança, pois não sabiam se os alemães tinham levado armas.* Em seguida, veio a Guerra Civil Espanhola, travada entre as tropas nacionalistas do general Franco de um lado e Ernest Hemingway do outro. Hitler interveio no lado de Franco e testou a sua temível Luftwaffe** em vários romances de peso de Hemingway, causando uma pontuação exagerada e desnecessária.

Isso levou o mundo a 1938, que foi um ano marcado pela Conferência de Munique, uma tentativa das potências ocidentais de convencer Hitler a não invadir mais do que aproximadamente a metade da Tchecoslováquia. Para grande deleite das potências,

* Eles não tinham levado.

** Força Aérea Alemã. (N. dos T.)

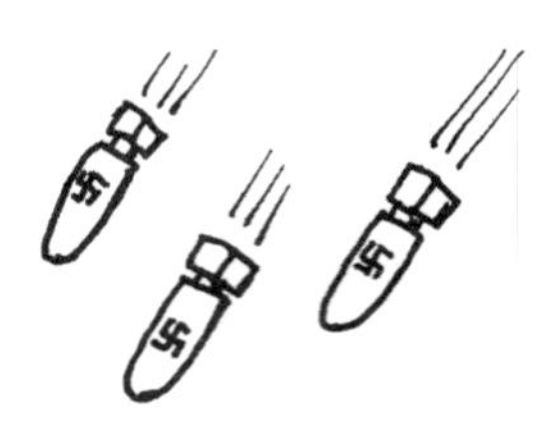

DURANTE A GUERRA CIVIL ESPANHOLA – O BOMBARDEIO DE SATURAÇÃO DA LUFTWAFFE –, A CAMPANHA DE BOMBARDEIO DOS ROMANCES DE HEMINGWAY CAUSOU UMA PONTUAÇÃO EXAGERADA E DESNECESSÁRIA.

Hitler concordou, pelo menos com relação à parte da invasão, e o primeiro-ministro britânico Neville Chamberlain desceu do seu avião agitando animadamente um pedaço de papel contendo o autógrafo de Hitler. "É paz em nossa época!", declarou ele de uma maneira demente, aparentemente alheio ao fato de que o que Hitler efetivamente dissera foi "*Ervilhas* em nossa época",* uma referência ao principal produto agrícola cultivado comercialmente da Polônia.

Um ano depois, Hitler invadiu a Polônia, tendo primeiro assinado um pacto de não agressão com Stalin no qual ele concordava em não atacar a União Soviética, enquanto não estivesse preparado para isso, claro. A Grã-Bretanha e a França, relutantemente, declararam guerra contra a Alemanha. Corria o dia 3 de setembro de 1939.

* Trocadilho no original. Em inglês, a pronúncia das palavras *peace* ("paz") e *peas* ("ervilhas") é quase a mesma. (N. dos T.)

## A guerra

A França estava confiante de que a guerra terminaria até o Natal, mas a maioria dos outros observadores duvidava de que o país fosse resistir tanto tempo aos alemães. Os alemães invadiram primeiro a Bélgica, como é ditado pela sua constituição, e imediatamente causaram pânico entre os turistas britânicos em Dunquerque – que aguardavam desanimados que a greve das balsas terminasse. A partir de então, as coisas ficaram bem ruins para os Aliados. Os alemães, tentando reduzir a resistência dos ingleses para poder invadir, começaram a deixar cair bombas sobre Londres guiados infalivelmente pela voz da cantora Vera Lynn, muito famosa nessa época. Naqueles tempos sombrios, causados em grande medida pelos blecautes, o novo primeiro-ministro, Winston Churchill, recomendou com insistência que os seus compatriotas tocassem a vida normalmente. "Vamos lutar nas praias", entoou ele com seriedade. "Vamos lutar nos campos e nas ruas, nos bares e nas casas de *kebab*, e fora dos *pubs* depois que eles fecharem. E também antes e depois das partidas de futebol, é claro." Os alemães sabiamente cancelaram a invasão.

"VAMOS LUTAR NOS CAMPOS E NAS RUAS, NOS BARES E DO LADO DE FORA DAS LOJAS DE *KEBAB*, E ANTES E DEPOIS DAS PARTIDAS DE FUTEBOL."

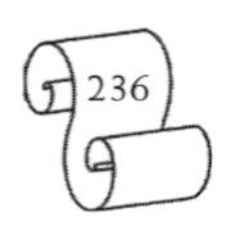


Em outra parte do mundo, Hitler havia chegado à conclusão de que a Alemanha estava correndo o sério risco de vencer a guerra, então ele decidiu invadir a Rússia para igualar as possibilidades. No entanto, nem mesmo isso conseguiu deter a maré, pois, por meio da guerra relâmpago, os alemães chegaram rapidamente ao subúrbio de Moscou. Hitler só foi salvo do constrangimento pelos japoneses, que, por considerarem a sua conquista da Ásia excessivamente fácil até então, compreenderam que a única maneira pela qual eles conseguiriam se matar em uma quantidade suficientemente grande seria trazendo os Estados Unidos para a guerra. Eles fizeram isso realizando um ataque surpresa a uma base naval americana em Pearl Harbor, um ato infame e covarde que indignou os americanos, principalmente porque eles não tinham pensado em algo tão infame primeiro. O ataque deu aos japoneses a oportunidade de produzir unidades de excelentes pilotos *kamikaze*, que passavam vários anos aperfeiçoando as suas habilidades na escola de pilotagem antes de finalmente assumir o controle dos seus temidos aviões de caça Zero e lançá-los deliberadamente no mar.

No final, a estratégia das Potências do Eixo começou a surtir efeito. Em 1943, matemáticos em Bletchley Park foram capazes de ler as comunicações navais nazistas secretas quando, com uma mistura de intuição e pura sorte, eles tropeçaram em um dicionário alemão-inglês. Isso possibilitou que os analistas descobrissem a localização dos temidos submarinos nazistas que vinham perseguindo de maneira persistente a frota aliada desde 1939. "Eles estão debaixo d'água", declararam os analistas.

Em junho de 1944, os Aliados estavam prontos para lançar um contra-ataque. Com o objetivo de confundir os alemães com relação ao local exato da invasão, eles decidiram anunciá-la como desembarque na Normandia, pensando, corretamente, que os alemães iriam deduzir que seria uma armadilha e removeriam imediatamente todas as suas tropas da Normandia. Quando foi constatado que não era uma armadilha, os Aliados conseguiram desembarcar os seus soldados com sucesso e avançar em direção

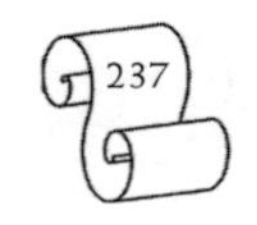


a Paris; em um momento de confusão, os franceses se renderam incondicionalmente. A partir de então, foi apenas uma questão de tempo até que a Alemanha caísse, e, no dia 30 de abril de 1945, Hitler tomou a sua única decisão sensata em toda a guerra e se suicidou na sua casamata.

Entretanto o Japão continuou a resistir, prometendo fazê-lo até que o último dos seus cidadãos morresse. Com o tempo, os Estados Unidos, com receio da possibilidade bastante real de que isso não fosse uma brincadeira, se viram obrigados a lançar uma nova e devastadora arma sobre o seu inimigo, que nada suspeitava – uma arma de guerra tão horrenda e destrutiva que os japoneses não teriam escolha a não ser se render.

O implacável lançamento sobre Hiroshima e Nagasaki de duas bombas atômicas e enjoativos desenhos animados como *Bambi* foram a gota d'água para os devastados cidadãos do Japão. No dia 15 de agosto de 1945, o imperador Hirohito falou ao seu povo pela primeira vez e anunciou, da maneira exagerada que o tornou famoso, que "a guerra não tinha evoluído necessariamente em benefício do Japão", instigando a sua inconsolável nação a começar imediatamente a conquistar o mundo com o Playstation.

## As Nações Unidas

Com 16 milhões de soldados mortos e dezenas de milhões ainda vivos e famintos, as principais potências concordaram, em grande medida, que a Segunda Guerra Mundial não tinha sido, de modo geral, uma coisa boa. Perto do fim da guerra, portanto, elas se reuniram em vários locais sombrios para discutir o que poderiam fazer para evitar que algo semelhante voltasse a acontecer, pelo menos até que elas pudessem fazer isso adequadamente com armas nucleares. Resolveram criar as Nações Unidas. A ONU passou a existir em abril de 1945 em San Francisco, já que, se iam escolher um lugar para discutir o amor pelo seu semelhante, San Francisco era claramente a escolha óbvia por sua tradição de tolerância.

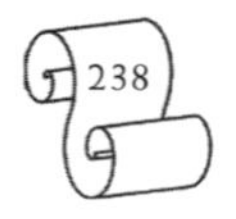


A ONU estava dividida em uma Assembleia Geral e um Conselho de Segurança. Na Assembleia Geral, nações de todos os tamanhos, independentemente do quanto pudessem ser fracas ou desagradáveis, podiam se reunir e votar igualmente a favor de qualquer potência importante que lhes tivesse oferecido mais ajuda recentemente. O Conselho de Segurança, por outro lado, só contava entre os seus membros as potências mais poderosas do mundo, e mais a França. O seu papel era trabalhar em prol da democracia e da paz mundial, publicando resoluções de peso e irrevogáveis que podiam depois ser desconsideradas por todos os países envolvidos. Ambas as instituições continuam a executar hoje em dia essas importantes funções.

# 10

# O FIM DO MUNDO

## (1945 d.C. - Até os dias atuais)

### Introdução

Quando o mundo entrou na segunda metade do século XX, ele teve de enfrentar um conjunto de problemas inteiramente novo. Hitler e Mussolini podiam estar fora do caminho, mas isso não significava que não havia mais psicopatas dementes espreitando perigosamente nas sombras. Durante os primeiros quarenta anos da era pós-guerra, a atenção do mundo esteve ocupada com um impasse nuclear gelado entre Oriente e Ocidente que permitiu a nações coloniais na África, na Índia e no Oriente Médio reivindicar furtivamente a independência enquanto ninguém estava olhando. Depois, exatamente quando um arqui-inimigo do Ocidente caiu, outro surgiu na forma de terrorista islâmico vingativo, culpando os costumes decadentes ocidentais pela dramática redução de barbas no mundo inteiro. Seguiram-se abaladoras atrocidades, entre elas, o ataque a bomba em Lockerbie, o ataque ao World Trade Center, os ataques a bomba em Madri e – o pior de tudo – o aumento de congestionamento nas grandes capitais.

# PARTE 1

# ROCKY BALBOA *VERSUS* IVAN DRAGO 1945-2000 d.C.

## A Guerra Fria

No final da Segunda Guerra Mundial, as nações aliadas vitoriosas da Grã-Bretanha, dos Estados Unidos e da União Soviética decidiram que, para reduzir o risco de um futuro conflito envolvendo a Alemanha e o Japão, elas deveriam agora voltar a atenção para um conflito entre elas. Stalin estava tão preocupado com a futura segurança do seu país que criou uma pequena área formada por estados tampões para protegê-lo, composta das nações da Polônia, Tchecoslováquia, Alemanha Oriental, Hungria, Bulgária, Romênia, Letônia, Lituânia, Estônia, Iugoslávia, Albânia, Geórgia e Ucrânia. Os soviéticos permitiam que esses países tivessem eleições livres e democráticas nas quais, depois de muito debate e discussão, eles votavam a favor de não serem fuzilados pela KGB. O resultado foi que o mundo estava agora dividido em dois campos: um dominado por megalomaníacos perigosos e psicologicamente instáveis, e o outro, pelos russos, o que dá no mesmo.

Durante os quarenta anos seguintes, esses dois campos tentaram desesperadamente sobrepujar um ao outro em todas as áreas do empreendimento humano, como a arte de iniciar revoluções, a construção de mísseis, a exploração espacial e jogos de tabuleiro para adultos. O clímax da rivalidade dos jogos de tabuleiro foi alcançado em uma clássica confrontação entre Bobby Fischer e Boris Spassky, em 1972, que manteve o mundo fascinado durante mais de três meses, quando então ambos os jogadores conseguiram concluir as suas jogadas iniciais. A corrida espacial também testemunhou algumas competições, com destaque para a disputa para enviar o primeiro homem à Lua. Essa disputa ocorreu, é claro, na escada do módulo de aterrissagem da Apollo 11, e foi imortalizada nas palavras de Buzz Aldrin, quando ele se preparava para dar o primeiro passo na superfície lunar: "Um pequeno passo para o homem, um salto gigantesco para... Ai! Que di...? Ah, é você, Armstrong? Seu *canalha*!".

A outra grande confrontação ocorreu em 1962 e ficou conhecida como a Crise de Mísseis de Cuba. Ela aconteceu quando o líder de Cuba, Fidel Castro, convidou os russos para que fossem à sua ilha e construíssem um novo resort de primeira classe. O resort seria equipado com as mais recentes modernidades e o conforto comunista, como vasos sanitários com descarga e ogivas nucleares ativas. No entanto os americanos ficaram descontentes, pois, se um resort de alto nível ia ser construído em Cuba, eles queriam que isso fosse feito por homens em quem eles pudessem confiar, como os membros da máfia. Depois de doze dias de ansiedade e confusão nos quais eles discutiram entres as duas alternativas de resolver a crise diplomaticamente ou começar uma guerra nuclear, o presidente Kennedy acabou ordenando um bloqueio naval para impedir a passagem dos russos. Porém os soviéticos se recusaram a voltar atrás, e enquanto os seus navios continuavam a avançar em direção a Cuba, o mundo inteiro aguardava ansioso para ver se eles iam desaparecer de repente dentro do Triângulo das Bermudas.

"Um pequeno passo para o homem, um passo gigantesco para... Ai! Que di...? Ah, é você, Armstrong? Seu *canalha*!"

Por sorte, em vez disso, eles simplesmente deram meia-volta e retrocederam, e a Terra de repente pareceu um lugar mais simpático. A década de 1970 foi uma época de trégua, na qual Richard Nixon ordenou que os seus inescrupulosos adeptos de confiança

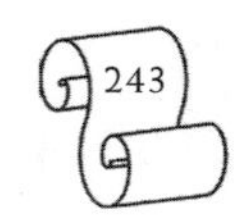


invadissem ilicitamente o prédio Watergate e os russos compreenderam que, afinal de contas, tinham alguma coisa em comum com os americanos. Esse foi o início das famosas reuniões de cúpula entre as duas nações, que continuaram durante os governos de Reagan e Gorbachev. A política da Guerra Fria do Presidente Reagan se baseava em um plano estratégico de longo prazo conhecido, nos círculos diplomáticos de alto nível, como o horóscopo da sua esposa. A Doutrina Horóscopo possibilitava que o presidente comparecesse a essas fundamentais reuniões de cúpula totalmente informado a respeito do provável impacto que haveria sobre as questões internacionais se o planeta Marte por acaso se alinhasse com, digamos, a enorme marca na cabeça de Gorbachev. Dessa maneira, os soviéticos gradualmente vieram a perceber que não havia realmente tanto a temer do seu grande adversário capitalista, e a Guerra Fria lentamente chegou ao fim.

## A Guerra da Coreia

Depois da derrota do Japão, em 1945, a península da Coreia foi dividida ao longo do paralelo 38 em zonas de ocupação soviética e americana. Já em 1948, essas zonas tinham se formalizado como países separados: um norte comunista e um sul capitalista. A inevitável guerra começou dois anos depois, quando o exército norte-coreano decidiu, quando a temperatura começou a cair, que gostaria muito de passar as férias de verão daquele ano na costa sul. O resultado foi um conflito horrível e confuso que foi apoiado por um lado pelos Estados Unidos e pelo outro pela China, e que terminou exatamente na mesma posição em que havia começado. A estratégia de guerra americana era continuamente obstruída por suas unidades móveis MASH, que ofereciam humor e entretenimento de qualidade tão elevada – sem mencionar as enfermeiras – que muitos soldados de infantaria entravam em combate com a explícita intenção de se tornarem atores.

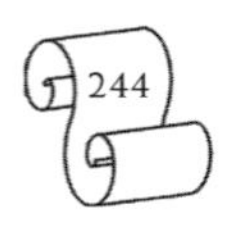


## A Guerra do Vietnã

Se a Guerra da Coreia foi sórdida, a sua sucessora escolhida a dedo no Vietnã foi quase como *Rambo: Programado para Matar*, em sua falta de misericórdia. Com um cenário monótono, um elenco jovem e inexperiente e um enredo absurdo e sem fundamento, ela foi um desastre de bilheteria, tão violentamente impopular no país que a criou que os jovens eram motivados a rejeitá-la em favor de manifestações pela paz, festas de LSD e até mesmo – por mais assustador que isso fosse – curtir música indiana espontaneamente. A guerra estava de tal maneira gravada na consciência americana que os candidatos à presidência ainda não conseguem chegar ao final de uma campanha eleitoral sem explicar com os olhos marejados que experiência aterradora e com consequências para toda a vida ela teria sido para eles se o papai não tivesse pagado para que eles ficassem fora dela.*

Então, no que consistiu a Guerra do Vietnã? Bem, ninguém sabe dizer ao certo, muito menos os soldados americanos, cuja maioria estava tão alucinada que pressupunha que ainda estivessem no seu bairro. Confusos a respeito de quem deveriam estar defendendo ou atacando, os americanos recorreram à tática de atacar tudo, inclusive a vegetação, com seu destruidor Agente Laranja. Com o tempo, as coisas ficaram tão ruins que eles elegeram Richard Nixon, em quem, no mínimo, podiam confiar sabendo que ele trairia os sul-vietnamitas. Foi exatamente o que ele fez em 1973, e dois anos depois Saigon caiu.

## A queda da União Soviética

À meia-noite do dia 9 de novembro de 1989, as pessoas no mundo inteiro ligaram os seus aparelhos de televisão e foram contempladas com o extraordinário espetáculo de milhares de alemães orientais

* A honrosa exceção a isso, é claro, é o senador John McCain, que foi tão torturado quando era prisioneiro de guerra no Vietnã que quase ficou lúcido.

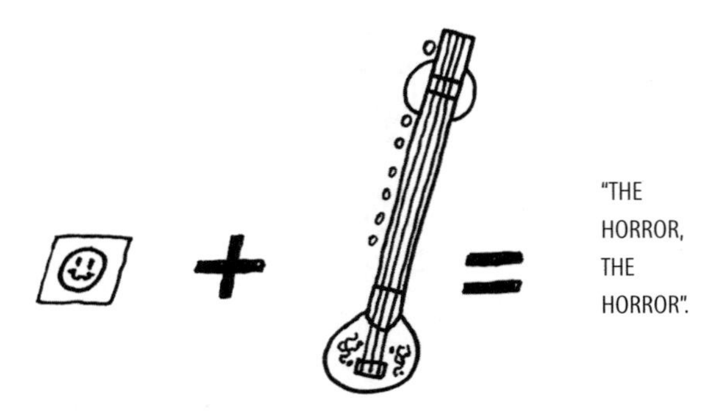


A GUERRA NO VIETNÃ: VIOLENTAMENTE REJEITADA EM FAVOR DE MANIFESTAÇÕES PELA PAZ, FESTAS DE LSD E MÚSICA INDIANA.

escalando o muro que dividia a sua cidade. Alguns segundos depois, as pessoas desligaram os seus aparelhos de televisão porque, na verdade, elas estavam procurando o filminho interessante que costuma passar tarde da noite, se é que você me entende. Porém elas logo se deram conta da importância do evento que tinham assistido: depois de todos aqueles anos, contra todas as chances, a Alemanha estava finalmente invadindo a si mesma.

A queda do Muro de Berlim não ocorreu isoladamente. Os muros no bloco oriental vinham efetivamente caindo regularmente havia muitos anos porque a maioria dos construtores fora enviada para o exílio na Sibéria. Isso havia impelido o presidente Gorbachev a decretar reformas econômicas e políticas muito necessárias na região, conhecidas como *Glasnost* e ahn... você sabe... aquela outra, *Pere*... alguma coisa. De repente, depois de passar anos só podendo escrever o que o governo comunista mandava, a imprensa na Rússia se viu com a liberdade de dizer o que queria. Logo o bloco soviético ficou dividido com a notícia de que Angelina Jolie e Brad Pitt estavam tendo problemas de relacionamento, e ficou estupefato ao ouvir dizer que, ao contrário das mentiras que os comunistas contavam para eles, Elvis ainda estava vivo e morando na Albânia.

A QUEDA DA UNIÃO SOVIÉTICA.

Gorbachev não tinha a menor chance. Em agosto de 1991, ele foi derrubado por um golpe de linha dura da KGB. Embora a conspiração tenha fracassado depois de três dias, tendo interpretado de uma maneira ligeiramente errada a disposição de ânimo da nação, Gorbachev foi logo derrubado de novo, dessa vez pela grande figura de Boris Yeltsin. Yeltsin havia começado como partidário do presidente, até que fora afastado por um ataque do governo contra o alcoolismo. Assim que subiu ao poder, ele começou rapidamente a destruir os últimos vestígios da União Soviética. No dia 25 de dezembro de 1991, a bandeira soviética foi arriada no Kremlin pela última vez e substituída por um grande M dourado.

PARTE II

# INDEPENDÊNCIA E REVOLUÇÃO 1945-2000 d.C.

## A independência da Índia

Nesse meio-tempo, em outras partes do mundo, a história também estava acontecendo de uma maneira esporádica. Na Índia, a palavra do dia era independência.

O movimento da independência foi liderado por Mohandas Gandhi, um pequeno guru cuja mente estava tão concentrada em libertar o seu país dos britânicos que ele vivia se esquecendo de calçar os sapatos. Gandhi baseava a sua filosofia no preceito na não violência, o qual ele usava como uma arma contra os seus senhores britânicos. Para os britânicos, que certamente já tinham ouvido falar em violência, mas que nunca haviam pensado em combiná-la com um prefixo, essa tática era completamente desconcertante. Embora alguns deles tivessem na verdade certa afinidade com a causa de Gandhi, eles não conseguiam acreditar que os indianos pudessem governar a si mesmos, por carecerem de experiência e instrução e terem a pele escura. A única reação ao movimento de independência que lhes ocorreu foi colocar todos os partidários de Gandhi na prisão – 60 mil em questão de semanas em um determinado momento. Os indianos ficaram compreensivelmente indignados com essa atitude, até que se lembraram de que na Primeira Guerra Mundial os britânicos

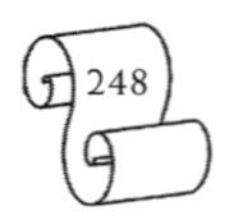

tinham conseguido matar esse mesmo número dos seus compatriotas em um único dia.

Com o tempo, porém, os britânicos não tiveram escolha senão ceder, porque, embora o corpo de Gandhi fosse frágil, a sua voz era alta o bastante para se transportar pelos continentes, ecoando até mesmo nos corredores de Westminster. Com a diferença do fuso horário, os políticos constataram que isso estava até mesmo perturbando o seu sono. Em 1947, eles finalmente concederam a independência à Índia. Infelizmente, exaustos pela falta de sono, eles também decidiram no último minuto dividir o território em dois, com uma Índia hinduísta e um Paquistão muçulmano, e colocaram Caxemira convenientemente perto de ambos para que sempre tivessem algum motivo pelo qual brigar. A situação permanece basicamente a mesma hoje em dia, exceto pelo fato de que agora ambos os países têm armas nucleares, de modo que, se um dos lados algum dia finalmente conseguir conquistar a região, ninguém poderá viver lá de qualquer maneira.*

## Problemas na África

A independência das nações da África foi igualmente turbulenta, em virtude de uma minúscula omissão administrativa que ocorreu quando as fronteiras nacionais foram definidas.** Na pressa de colonizar o continente negro, as potências imperiais não perceberam que as discrepantes tribos da África talvez não *quisessem* efetivamente viver juntas no mesmo país. Os colonialistas achavam que, apesar das suas profundas divisões de linguagem, cultura e etnia, mesmo que não gostassem umas das outras, as tribos pelo menos tolerariam vagamente a sua existência mútua, mais ou menos como os ingleses e os galeses. No entanto a realidade era

* Também é importante não esquecer a nação de Bangladesh, que foi estabelecida na mesma região em 1971, por alguma razão.

** Já que foram totalmente aleatórias.

bastante diferente. Por isso os conflitos tribais dominaram muitas das novas nações, com árabes muçulmanos lutando contra nilóticos cristãos no Sudão, bantos do sul lutando contra nilóticos do norte em Uganda, e ovimbundos lutando contra kimbundos e bacongos em Angola. Isso preparou o terreno para que diversos ditadores militares malévolos assumissem o controle, como Idi Amin, que era tão louco que até mesmo os britânicos com o tempo pararam de fazer acordos com ele.

Na década de 1980, a guerra civil, aliada a safras malsucedidas e à seca, conduziu ao maior perigo de todos para o continente sitiado: Bob Geldof, o ex-vocalista de uma bandinha *new wave* chamada The Boomtown Rats. De repente, como se já não estivesse suficientemente superpovoada, a África se viu assediada por dezenas de cantores famosos, que olhavam tristemente para as pobres crianças famintas da Etiópia antes de prosseguir, atormentando-as com canções para o Natal. Em um gesto louvável, o festival musical Live Aid despertou o mundo para a catástrofe que despontava no continente, gerando uma explosão de doações de caridade e ajuda. No entanto o evento não conseguiu encontrar uma cura para Bob Geldof e sua chatice crônica.

## Conflitos na América Latina

A história do continente americano a partir de 1945 envolveu líderes corruptos, a cruel repressão dos direitos civis e a implacável e inescrupulosa exploração do povo. Mas também houve problemas no sul da fronteira dos Estados Unidos.

Na América Central, havia o problema dos perversos e desprezíveis socialistas (na visão dos americanos) que tentavam ganhar as eleições, o que obrigava os Estados Unidos a enviar continuamente para lá grupos de fuzileiros navais com o objetivo de manter os países seguros para os honestos cidadãos democráticos, como os que faziam parte da United Fruit Company. Destacou-se particularmente o deplorável escândalo Irã-Contras em 1986, quando o presidente Reagan, em um ato tão secreto que até mesmo a KGB em grande medida nada deixou transparecer, deu permissão à CIA para vender armas americanas para o Irã com a finalidade de financiar rebeldes que se opunham ao governo da Nicarágua. Isso se tornou um grande escândalo porque (a) o Irã era o maior inimigo dos Estados Unidos, tendo pouco tempo antes tomado como refém muitos membros da embaixada americana, e (b) as pessoas não tinham se dado conta de que havia um governo na Nicarágua. O caso acabou em audiências no Congresso, nas quais o presidente Reagan convenceu o povo americano de que não poderia de jeito nenhum ter tido conhecimento do caso, afirmando – de uma maneira bastante convincente – que nem mesmo estava ciente de que ele *era* o presidente. Ao que se revelou, ele achava que o presidente era o coronel Oliver North, que mais tarde o demonstrou de maneira conclusiva ao ser declarado culpado de vários delitos graves sem ir para a prisão.

Mais ao sul do continente houve altos e baixos semelhantes. O Brasil suportou uma difícil ditadura militar durante 21 longos anos antes de emergir, de uma maneira triunfante e contra todas as expectativas, como vencedor da Copa do Mundo de 2002. Hoje o país é uma democracia amadurecida e fez grandes avanços nas esferas econômica e ambiental, livrando o mundo de vastas extensões da perigosa floresta amazônica que continham muitos insetos horripilantes. O Chile também sofreu com a ditadura do general Pinochet, que torturou e aprisionou pelo menos 28 mil pessoas enquanto protegia o país contra a democracia. Até a sua recente morte, o Chile várias vezes tentou processar o ex-governante, com diversas acusações que incluíam o fato de ele ser muito velho e decrépito.

Houve então a Argentina. Ninguém na Grã-Bretanha estava consciente da existência da Argentina até a década de 1980, quando, sem aviso ou provocação, o corrupto governo militar, procurando uma causa nacionalista com a qual silenciar a oposição no país, ordenou em 1986 que Maradona marcasse um gol com a mão. Isso foi para se vingar do fato de a Grã-Bretanha ter afundado o *Belgrano* durante a Guerra das Malvinas quatro anos antes. Fora isso, a história da Argentina acompanhou o padrão sul-americano convencional, interrompida apenas pela plangente canção de Eva Perón à sua nação – "Don't Cry For Me, Argentina" –, ao que a Argentina, ainda orgulhosa, retrucou: "O partido é meu, e chorarei se eu quiser".

## A revolução na China

Quando os japoneses invadiram a China na década de 1930, o partido nacionalista, administrado por Chiang Kai-Shek, e os comunistas, comandados por Mao Tsé-Tung, colocaram de lado as suas diferenças para enfrentar os odiados invasores. No entanto, quando os japoneses partiram em 1945, eles rapidamente retomaram as suas diferenças e tiveram uma guerra civil. Mao foi vencedor, obrigando Chiang a fugir para Taiwan, onde ele empreendeu uma conspiração de longo prazo para derrubar o seu populoso vizinho fazendo com que o seu país produzisse pequenos brinquedos de plástico que as crianças da China continental colocariam na boca, morrendo em seguida engasgadas.

"Em 1958, ele ordenou o Grande Salto à Frente, que visava revitalizar a retrógrada região rural chinesa impedindo que os camponeses cultivassem qualquer tipo de alimento."

Nesse meio-tempo, Mao se concentrou em tornar a China próspera e avançada obrigando todo mundo a usar trajes deselegantes, sem colarinho, de cor bege. Em 1958, ele ordenou o Grande Salto à Frente, que visava revitalizar a retrógrada região rural chinesa impedindo que os camponeses cultivassem qualquer tipo de alimento. Peculiarmente, isso resultou em uma fome generalizada, obrigando Mao, com o tempo, a abandonar o seu ambicioso Plano de Cinco Anos em favor de um Plano de Quatro Anos no qual ele nunca escovava os dentes e ocasionalmente ia nadar.

No entanto, quando o Plano de Quatro Anos terminou, Mao decidiu que estava na hora de assumir novamente o controle.

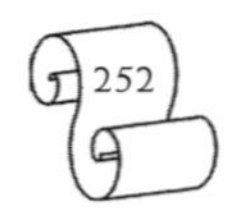


Ele anunciou o lançamento da Revolução Cultural, na qual a fatigada comunidade intelectual da velha China seria descartada em prol de uma nova onda de novos e dinâmicos líderes, conhecidos no vocabulário tecnológico da China comunista como colegiais. Esses líderes rapidamente expuseram o seu ambicioso programa para o país, dirigindo a máquina do governo com o objetivo de implantar novas iniciativas importantes para modernizar a China, como abolir a prática de dormir cedo e obrigar os professores a usar chapéus ridículos. Todos os livres-pensadores adultos estavam correndo perigo. No entanto, enquanto eram arrastados para serem reeducados nos campos de trabalhos forçados, eles se consolavam porque sabiam que, mais cedo ou mais tarde, cada família chinesa só teria permissão para ter um filho.

# PARTE III

# O MUNDO ATUAL

## Israel e o Oriente Médio

Entre todos os terríveis crimes praticados durante a Segunda Guerra Mundial,* o mais horripilante foi, sem dúvida, a tentativa de exterminação dos judeus pelos nazistas. Esses eventos inomináveis haviam convencido os líderes europeus de que o povo judeu precisava receber uma pátria, um lugar onde pudessem viver em segurança, sem medo de ódio ou perseguição. Obviamente, a Europa estava fora de questão para essa pátria, e com o projeto de colonização de Marte na gaveta desde o pânico gerado pela transmissão de *Guerra dos Mundos* por Orson Welles, em 1938, só restava um único lugar. E foi assim que, no dia histórico de 14 de maio de 1948, judeus de todo o mundo que queriam voltar para a sua terra prometida finalmente retornaram ao Oriente Médio, onde, cheios de esperança, começaram a construir as suas casas no novo Estado de Israel, mais ou menos 24 horas antes de os seus vizinhos árabes começarem a bombardeá-los com granadas.

Como se constatou depois, graças a um pequeno descuido cartográfico, não havia realmente lugar para Israel no Oriente Médio, e a criação desse espaço envolvera realizar uma histerectomia na Palestina. Isso foi uma coisa com a qual algumas nações árabes – como, tomando um exemplo ao acaso, todas elas! – não ficaram completamente satisfeitas. A guerra era o resultado inevitável. Felizmente para Israel, os árabes ainda se encontravam

---

* Como o filme *Códigos de Guerra*.

na sua infância pós-independência e possuíam a força militar combinada de uma única creche americana. O que quer que eles tentassem fazer, sempre acabava em humilhação, culminando na cômica Guerra dos Seis Dias unilateral que terminou com Israel ocupando a Península do Sinai, a Faixa de Gaza, o Monte Golan, a Cisjordânia e toda a Jerusalém.

Com o tempo, as coisas ficaram tão constrangedoras que até mesmo os americanos sentiram que precisavam interferir. Em 1978, o presidente "Jimmy" Carter convidou os líderes israelenses e egípcios para uma conferência secreta em Camp David. Ambas as partes estavam muito nervosas quando chegaram a Camp David, porque todo mundo sabia que Carter não os deixaria partir enquanto não conseguisse obrigá-los a escutar toda a sua coleção de narrativas sobre o cultivo do amendoim. A conferência efetivamente se arrastou por treze longos dias. Mas com o tempo as tenazes habilidades de negociação sulistas de Carter se instalaram nos ressentidos homens – e eles cometeram suicídio. Pouco antes

UM EMISSÁRIO DE CAMP DAVID.

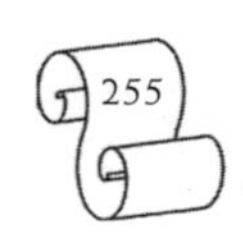


disso, contudo, o presidente conseguiu fazer com que eles assinassem os Acordos de Camp David, nos quais as duas nações concordavam em manter a paz desde que Carter concordasse em não telefonar para eles nunca mais.

Isso, contudo, não resolveu a crise no Oriente Médio. Em 1979, o mundo ocidental ficou aturdido com a subida ao poder de um lunático extremista imprevisível que ameaçou destruir todo o equilíbrio do poder. Depois, Ayatollah Khomeini dominou o Irã, e as pessoas desviaram a atenção de Margaret Thatcher e mudaram o foco para o Oriente Médio. A Revolução Islâmica apresentou ao Ocidente um conjunto inteiramente novo de problemas, e as pessoas ficaram aliviadas quando o seu aliado cordial e confiável Saddam Hussein interveio para começar a Guerra Irã-Iraque.

## A primeira Guerra do Golfo

Lamentavelmente, a situação no Iraque não correu tão bem quanto o Ocidente imaginara. Alguns anos depois da Guerra Irã-Iraque, o Ocidente descobriu, de repente, que Saddam Hussein estava longe de ser o ditador firme, porém benevolente, que eles achavam que ele fosse, pois decidiu que queria conservar com ele o suprimento de petróleo da região. Quando Saddam invadiu o Kuwait em 1990, o mundo se voltou contra ele.

A primeira Guerra do Golfo foi considerada amplamente justificada porque ela ficava realmente excelente na televisão. Com armas montadas sobre câmeras e repórteres vestidos com coletes à prova de balas, a guerra apresentou ao mundo maravilhas tecnológicas como os mísseis Patriot, bem como o ocasional Scud, os quais os americanos lançavam das suas bases na Arábia Saudita e, com uma precisão certeira, derrubavam helicópteros britânicos. Infelizmente, eles nunca eram tão exatos quando miravam o próprio Saddam Hussein e, apesar de se parecer cada vez mais com o magnata grego Stavros, o forte velho guerreiro viveu para lutar outra vez.

## O terror palestino

Saddam Hussein não era o único perigo proveniente do Oriente Médio. A década de 1970 presenciou o início da intifada palestina, com a altaneira liderança do Monte Arafat. Determinados a reconquistar a sua terra natal, os palestinos começaram a buscar a ajuda da comunidade internacional mais ampla, promovendo a sua pacífica campanha pela justiça, sequestrando aviões de passageiros e explodindo restaurantes. Em 1972, o grupo dissidente Setembro Negro sequestrou e massacrou onze atletas israelenses nas Olimpíadas de Munique em uma tentativa radical, porém no final malsucedida, de ganhar algum tipo de medalha. Em 1974, outro grupo matou a tiros 22 estudantes israelenses do ensino médio em Ma'alot, perto da fronteira libanesa. Mais tarde, em 1988, terroristas agindo com o patrocínio do Coronel Kadafi da Líbia explodiram um avião de passageiros sobre a aldeia escocesa de Lockerbie, matando os 259 passageiros, a tripulação e onze habitantes da aldeia.

O Ocidente reagiu a essas atrocidades de diferentes formas. Enquanto os israelenses de um modo geral acharam por bem entrar com tanques dentro da sala de estar dos palestinos, a Grã-Bretanha preferiu lidar com o ataque a bomba de Lockerbie de uma maneira mais moderada, colocando um suspeito simbólico em uma prisão escocesa e depois o libertando alguns anos depois por compaixão. É claro que essa atitude deu origem a um enorme escândalo, particularmente quando surgiram rumores de um acordo secreto com Kadafi no qual altas autoridades britânicas teriam concordado em libertar al-Megrahi em troca da promessa de 72 virgens de olhos castanhos no paraíso.

Houve também tentativas de negociar um acordo de paz entre Israel e a Palestina. Um acordo em Oslo em 1993 foi dificultado por causa do assassinato de Yitzhak Rabin por fundamentalistas israelenses. Outra tentativa de Bill Clinton em Camp David foi paralisada quando os americanos decidiram no último minuto pedir ajuda ao ex-presidente Carter, quando então dezoito digni-

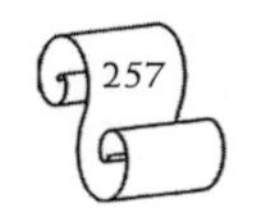


tários do Hamas imediatamente explodiram a si mesmos.* Mais tarde, em 2002, o presidente George Bush tentou levar israelenses e palestinos a fazer as pazes obrigando-os a seguir um roteiro, o qual, sem conhecimento de ambos, não levava a lugar nenhum. Mas um ano depois isso também rapidamente chegou a um beco sem saída, de modo que a luta continua.

## A al-Qaeda e o Talibã

No dia 11 de setembro de 2001, o mundo foi surpreendido pela colisão de dois jatos de passageiros com as Torres Gêmeas do World Trade Center em Nova York. No momento em que isso aconteceu, o presidente George Bush estava visitando uma escola primária na Flórida, tentando aprender a ler. Não obstante, tão logo ele chegou ao fim da frase, cerca de sete minutos depois, ele compreendeu imediatamente a situação. Dois aviões indo de encontro ao mesmo prédio no mesmo dia? Bush sabia que aquilo não poderia ser uma coincidência. "Eles estão voando baixo demais!", exclamou para o seu assustado chefe de gabinete. "É por isso que os aviões estão colidindo. Precisamos fazer com que eles voem mais alto."

Lamentavelmente, pelo que se viu depois, a história era muito mais complicada, e, à medida que o longo dia se desenrolava, o mundo tomou conhecimento, pela primeira vez, dos nomes Osama bin Laden e a sua animada turma da al-Qaeda. É claro que, se o mundo tivesse prestado um pouco mais de atenção, teria ouvido esses nomes bem mais cedo, talvez recuando à invasão soviética do Afeganistão em 1979, quando os americanos começaram a fornecer armas para eles. A partir de então, Bin Laden e os seus companheiros barbados vinham lançando ataques contra alvos americanos na Somália, no Iêmen, na África Oriental e até mesmo contra o próprio World Trade Center em 1993. Mas nada que eles

* Com a total cooperação dos israelenses.

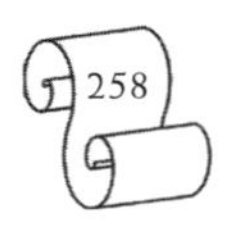


tinham feito se comparava nem de longe com a escala de 11 de setembro. Alguém precisava urgentemente destruir esses palhaços antes que eles começassem a ficar *realmente* ambiciosos.

Por sorte, Bush tinha um plano. Menos de um mês depois dos ataques, os Estados Unidos tinham escolhido o seu primeiro alvo: o Talibã. Como principal estratégia militar, o Pentágono ordenou que a CIA fornecesse armas a um bando de extremistas afegãos anárquicos que lutariam do lado dos Estados Unidos – uma medida que causou inicialmente muita confusão dentro do quartel-general da CIA em Langley, porque eles achavam que isso já estava sendo feito. No entanto, ao que se revelou, esse era um bando de extremistas afegãos anárquicos diferente do primeiro, e no dia 12 de novembro, com a ajuda dos americanos, a violenta Aliança do Norte conseguiu tomar Cabul, fazendo com que o nocivo Talibã batesse em retirada. Logo depois, o país tinha um novo governo provisório com a liderança de Hamid Karzai, um homem que os aliados ocidentais sabiam que iria fazer um bom trabalho por causa do seu elegante sotaque britânico.

De modo geral, as coisas estavam indo muito bem, e tudo o que deveria ser feito em seguida era encontrar Osama bin Laden. Infelizmente, justo quando parecia que as forças ocidentais estavam no caminho correto, elas foram desviadas pelo repentino e inesperado surgimento do...

## Eixo do Mal

Com as coisas no Afeganistão aparentemente resolvidas, Bush de repente voltou novamente a atenção para o homem que, junto com Bin Laden, era considerado pelo presidente e o seu círculo de consultores neoconservadores como a maior ameaça à paz mundial e ao estilo de vida ocidental: Al Gore. No entanto, tido como a inteligência maligna por trás do aquecimento global, o senhor Gore nunca seria uma presa fácil. Ele era reconhecidamente um mestre da camuflagem, com uma habilidade excepcional de se misturar com a mobília e as plantas nos vasos. Na realidade, algumas pessoas afirmaram que não conseguiam enxergá-lo mesmo quando ele estava em pé diante delas falando. Não é de causar surpresa, portanto, que a busca pelo ex-vice-presidente não tenha sido bem-sucedida e que ele ainda permaneça livre até hoje.

Também livre está a segunda ponta do eixo do mal de Bush: o presidente Ahmadinejad da República Islâmica do Irã. Um homem que nunca tem medo de ouvir a sua própria voz, Ahmadinejad não fez nenhum segredo das suas grandiosas ambições para o seu país, sendo a sua principal aspiração eliminá-lo completamente da face do planeta. Graças a um cabograma diplomático que vazou na internet detalhando os pensamentos da família real saudita, hoje sabemos quanto ele chegou perto de realizar o seu sonho:

> 22 de setembro de 2009: SECRETO E CONFIDENCIAL
> Falei com Rei Abdullah. Sauditas preocupados com próximo discurso de Ahmadinejad à ONU. Será tão longo que programa nuclear iraniano poderá estar concluído quando essa m[illegible]da terminar. Recomenda aniquilação imediata de todos os países do Oriente Médio (a p[illegible]a da Arábia Saudita, é claro!). Continua também a nos garantir que primo Osama permanece definitivamente escondido em algum lugar nas montanhas afegãs.

A terceira e última ponta era o falecido homem malvado Kim Jong-il, líder do Paraíso de Loucos Coreanos da Democracia Popular. O divertido Kim era um famoso engraçadinho do seu país natal, sendo que a peça que ele mais gostava de pregar era dissipar todos os recursos monetários da sua nação em Mercedes-Benz com os quais, por meio de uma cronometragem cômica e perfeita, ele sistematicamente atropelava os altos funcionários da sua equipe. Ele também orientou a elite de cientistas da Coreia do Norte em um plano ultrassecreto para fabricar armas termonucleares a partir

de rolos de papel higiênico usado e filme plástico. Ele utilizava isso regularmente como uma ferramenta de negociação com os Estados Unidos, cujas agências de inteligência tinham inquietantemente deixado de prever o sucesso do projeto, sem se dar conta de que os norte-coreanos tinham algo tão avançado quanto o filme plástico. Apesar dessas pequenas fraquezas, esse amado líder era imensamente popular com o seu povo, que regularmente irrompia em espontâneas manifestações em massa de danças primorosamente coreografadas.

Então, no dia 17 de dezembro de 2011, a televisão estatal norte-coreana fez uma série de chocantes pronunciamentos:

2h30 Kim Jong indisposto.
6h38 Kim Jong doente.
9h00 Kim Jong morto.

Isso mergulhou a nação em luto, e foi somente a milagrosa descoberta do seu sucessor Kim Jong-un nas encostas divinas do Monte Paekdu que conferiu ao povo norte-coreano a esperança de que ele poderia continuar a seguir em direção ao seu destino sagrado de total aniquilação e morte.

OS ESTADOS UNIDOS E O REINO UNIDO PROVARAM QUE SADDAM ARMAZENAVA QUANTIDADES LETAIS DE AREIA.

## A Guerra do Iraque

Como se o presidente Ahmadinejad, o vice-presidente Gore e o supremo incomparável salvador da Revolução Celestial Kim Jong--il não fossem suficientes, George Bush decidiu que ele tinha a obrigação perante o mundo de se livrar de mais um malfeitor, o velho amigo do Ocidente Saddam Hussein. A principal motivação dele para fazer isso era o fato de Saddam ser, como declarou o presidente, "o cara que tentou matar o meu pai". Foi uma declaração que imediatamente deixou o resto do mundo tenso, particularmente os japoneses, sobre quem, no ato mais importante da sua presidência, Bush pai tinha vomitado depois que eles o envenenaram em um jantar oficial.

Além das suas razões pessoais, Bush filho também argumentou que Saddam estava ocultando armas de destruição em massa, uma afirmação que causou muito ceticismo nos governos da Europa Continental, que sabiam que certamente teriam se lembrado de tê-las vendido para ele. Para responder ao crescente número de críticos, os americanos forneceram evidência de esconderijos secretos iraquianos no deserto nos quais se dizia que Saddam estava armazenando quantidades letais de areia. O presidente do Iraque aparentemente planejava soprar essa nociva substância amarela nos Estados Unidos com a ajuda de um gás venenoso conhecido como vento, que ele fabricava em laboratórios móveis especiais.

Por sorte, os americanos compreenderam claramente o execrável plano de Saddam e invadiram o país com a sua famosa "coalizão dos países que têm medo do que nós faremos se eles não fizerem". Inicialmente tudo correu bem, com os tanques americanos entrando em Bagdá praticamente sem precisar matar um único soldado britânico. Estátuas de Saddam foram derrubadas, e em maio de 2003 Bush se sentiu confiante o bastante para voar triunfante para o porta-aviões USS *Abraham Lincoln*, onde notoriamente declamou para os soldados eufóricos: "Quem é Abraham Lincoln?". Mas logo foi divulgado que a atitude do presidente tinha sido

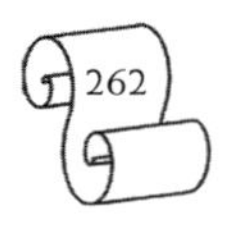


prematura. Apesar da captura, do julgamento e da execução de Saddam, a violência continuou e não mostrou nenhum sinal de estar terminando. Por sorte, os americanos e os britânicos decidiram mesmo assim retirar as suas tropas.

## Armagedom financeiro

Em setembro de 2008, pessoas no mundo inteiro ouviram as notícias e descobriram que tudo pelo que elas tinham trabalhado – tudo o que tinham passado a vida tentando criar – estava prestes a ser vaporizado pelas ações de alguns homens arrogantes e irresponsáveis. Por sorte, o Grande Colisor de Hádrons da Organização Europeia para a Pesquisa Nuclear, conhecida anteriormente como CERN, falhou antes que isso pudesse acontecer e as pessoas puderam voltar novamente a atenção para o colapso do sistema financeiro. Enquanto os bancos faliam e as bolsas de valores despencavam, homens e mulheres perplexos, perguntando-se o que havia acontecido com a sua poupança arduamente acumulada e os planos de aposentadoria, cambalearam em direção às ruas e olharam para o céu, na esperança de ter um vislumbre de um corretor de valores se atirando pela janela de um andar alto de algum prédio.

No entanto, em vez disso, os corretores de valores saíram pela porta da frente afirmando que eles eram as vítimas, e não os perpetradores, da crise. Ao que se revelou, os verdadeiros perpetradores eram as camadas de credores hipotecários comuns, idiotas o suficiente para terem aceitado empréstimos de pessoas cujo cérebro – estava bem claro agora – era feito inteiramente de mingau cor-de-rosa. Esses banqueiros piegas estavam agora explicando ao mundo tenso que eles precisavam urgentemente de bilhões de dólares do dinheiro dos contribuintes para as bonificações multimilionárias que eles precisariam conceder a si mesmos para convencer o mundo de que os seus bancos precisavam urgentemente de bilhões de dólares do dinheiro dos contribuintes. Ainda assim, ninguém conseguiu fazer com que eles se jogassem pela janela.

Apesar do difundido desespero, a crise econômica pelo menos teve um efeito positivo no aspecto da eleição de Barack Obama para a presidência dos Estados Unidos. A vitória do senador de Chicago representou, é claro, um marco decisivo tanto para a política americana quanto para a sociedade, já que ele se tornou o primeiro dirigente eleito na história da nação capaz de driblar uma bola de basquete sem tropeçar. Ele venceu a eleição exigindo "mudança", que era, por coincidência, a mesma exigência que estava sendo feita no mundo inteiro pelas pessoas desabrigadas cujas casas tinham acabado de ser retomadas pelos bancos.

Embora a mudança tenha se revelado um pouco mais difícil de promover do que de discutir, o presidente Obama obteve uma vitória significativa em maio de 2011, quando localizou pessoalmente Osama bin Laden em uma modesta mansão com muros altos em Abbottabad, no Paquistão. Atacado pelo heroico Seal Team Six, o arqui-inimigo do Ocidente foi abatido em uma sala repleta de revistas obscenas e antiga pornografia, enviando para o mundo uma mensagem final de esperança segundo a qual, apesar de séculos de conflito e desconfiança, os homens de todas as religiões têm, afinal de contas, uma coisa importante em comum.

## E agora?

Esta, portanto, é a situação do mundo em que vivemos agora. Não é um lugar bonito, e eu não aconselharia ninguém a vir para cá. Mas o que nos aguarda no futuro? As coisas vão melhorar para este nosso belo planeta? Estamos condenados a ser incinerados por bombas radioativas e assados pelo aquecimento global? Nós realmente nos importamos com isso? Essas são perguntas que talvez somente Deus possa responder – se conseguirmos convencê-lo a reaparecer por aqui.

Mas pelo menos de uma coisa podemos ter certeza, e neste mundo sem lei ela não deve ser levianamente descartada. Essa coisa é que, independentemente dos erros que a raça humana possa ter

cometido, independentemente do nosso reinado destrutivo neste planeta e da maneira pavorosa como nos comportamos uns com os outros, podemos levantar a cabeça bem alto em um aspecto. Podemos afirmar com orgulho e sem medo de contradição que pelo menos a Terra não está mais sendo dominada por grandes pássaros que não voam.

**Fim**